„MORZA SZUM, PTAKÓW ŚPIEW, ZŁOTA PLAŻA...” – *chciałoby się zanucić słowa znanej piosenki. Bałtyk faluje niemal nieustannie. Otwiera się i zamyka. Powraca fala za falą. Szum wody koi stargane nerwy. Swoje eldorado mają tu miłośnicy słońca i morskich kąpieli.*
“WAVES CRASHING, THE BIRDS ARE SINGING, THE BEACH IS GOLDEN...” *just like in a popular Polish song. The Baltic Sea is hardly ever still. It rises then falls. Wave after wave. The sound of the surf sooths frayed nerves. A real El Dorado for lovers of the sun, bathing*

KRAJOBRAZY

ODKĄD CZŁOWIEK POJAWIŁ SIĘ NA ZIEMI, zaczął czynić ją „sobie poddaną", kształtując krajobraz wokół siebie. Najpierw było wypalanie lasów, potem uprawa pól, tworzenie kopców, piramid i kamiennych kręgów. Wreszcie przyszła kolej na budowę grodów i miast, które w ostatnich dziesięcioleciach rozrosły się w betonowe dżungle. Jednak życie ludzkie to zaledwie chwila na tarczy zegara dziejów.
Główne rysy współczesnego krajobrazu kształtowane były przez miliony lat, przez siły znacznie potężniejsze od tych, które przyniosła cywilizacja. Swe piętno odcisnęły zionące ogniem wulkany, lodowce, wiatry. Powolne zmiany klimatu i gwałtowne katastrofy.
Dzięki tym żywiołom na obszarze Polski odnajdziemy dzisiaj niezwykłą różnorodność pejzaży.
Uroku polskiego krajobrazu nie można oddać jednym zdjęciem, jednym obrazem, na widok którego wszyscy zakrzykną: tak, to jest Polska właśnie! Bo choć Polska jest krajem nizinnym, to nawet typowy widok rozległej równiny z mazowieckimi wierzbami nie odda charakteru naszego krajobrazu. A gdzie góry? – zapytają górale, gdzie morze? – zaniepokoją się Kaszubi. Gdzie szerokie piaszczyste plaże i wysokie klify oraz setki jezior wciśniętych między niezliczone pagórki? Bieszczadzkie połoniny, tatrzańskie turnie, skalne grzyby Gór Stołowych, świętokrzyskie gołoborza i jurajskie ostańce. Różnorodność i kontrasty – tego nie brakuje w polskim krajobrazie. A im bardziej na południe, tym bardziej staje się on niepokojący.

***

WSZYSTKIE TE KRAJOBRAZY spięte są dwoma nitkami rzek: ujarzmionej Odry i dzikiej Wisły. Pierwsza z nich jest rzeką uregulowaną i ważnym szlakiem żeglugowym łączącym Górny Śląsk z Bałtykiem. Proces ujarzmiania rozpoczęto już w połowie XVIII wieku.

In spite of all these wonderful cultural and natural treasures we have been fighting a long battle with Western European stereotypes which have developed over many years in the minds of our neighbours, in the minds of generations of people. The images of wild, winter bears walking the streets have been relegated to the past, to that poor, grey communist country of long ago. Today there is a brand new Poland, beautiful, fascinating, and as hospitable as ever. This can be confirmed by huntsman coming here as if on an African safari or by ornithologists or birdwatchers who have found their wildlife paradise in the wetlands of the Biebrza River. Local customs and folklore enthusiasts are attracted to Poland from the far corners of the continent by colourful local festivities (especially religious ones) and the unique wooden sacral architecture to be found in many parts of the land.

***

AN OLD POLISH SAING GOES: "Gdańsk drink, Toruń gingerbread, Cracow women, Warsaw shoes - the best of Poland." What do people think of when they hear about Poland today? The first person people mention is Pope John Paul II, then "Solidarity" and Lech Wałęsa. Some foreign visitors remember Frederic Chopin or Copernicus (if they know they were Polish), while film enthusiasts know of Wajda, Kieślowski and Polański. For Polish people the symbols of our country are the Wawel Castle, the stork, the bison, religion and the Jasna Góra Monastery, amber, known here as Baltic gold, and the Vistula River, the last great untamed river in the Old Continent. And, of course, the eagle and the white and red flag of the nation and our anthem - Dąbrowski's Mazurka.
William Joseph Showalter, who travelled our country in the early 20th century, wrote: "The ardent love of Poles for all things Polish is clearly visible to everyone who visits this land. They will tell you that their cuisine is tastier than that of Paris, the landscape the most picturesque you can find in any country, the language more melodious than any other human speech, that there's no dance in the world compared to the mazurka and the most beautiful women and the most valiant men to ever walk the earth are the ones of their nation..." Now is the moment to remember those times. Let this book represent the pride and love we have for our country.

(in poetry, music and film). The world alternately respects us or laughs at our vices.
We are a source of amusement, emotion, and trouble. So, are we the peacock or the parrot of nations? Perhaps both? Maybe the greatest charm of our little big homeland lies exactly in all these contradictions.

***

POLAND IS EUROPE IN A NUTSHELL. Nature was very generous to this land, providing it with a beautiful and extraordinarily diversified landscape enriched by a colourful culture and stormy history. It has the waves of an unquiet sea wash its shores and the rocky alpine peaks of the Tatra Mountains look down on its lands. Puck Bay, with its steep cliffs and wide, sandy beaches could be the envy of the French Riviera. For although our seacoast is not very well developed, instead of steel and concrete we still have sand dunes and pine woods and there are no gigantic hotels just small, cosy pensions.
There is Kashubian Switzerland, Polish Venice in Bydgoszcz and Masuria - our own land of a thousand lakes that may not equal the one in Finland in size but definitely matches its beauty.
We also have some of the wildest forests on the European continent - the Białowieża Primeval Forest inhabited by the mightiest European land mammal, the bison. There are swift mountain streams and vast wetlands, bright green meadows, deep ravines and gorges, and even the Błędowska Desert. Although the latter does not boast the usual desert characteristics such as sandstorms or even mirages anymore due to changes in weather conditions it is still an empty area long overgrown by wild grasses, and the proud name remains.
The southern part of the country is filled with picturesque mountain landscapes. The castles and palaces of Lower Silesia bring to mind the stormy history of the region. In Wielkopolska (Greater Poland) you can visit places where Polish statehood was born, in Masovia - dream under a forked willow tree and in Warmia and Masuria - admire the vast castles and strongholds of the Teutonic Knights dating back to the days of proud chivalry, historic grandeur and fierce battles. Do not forget to take a trip to one of the famous Polish spa resorts. All this topped up by a satisfying mixture of culture: in the Eastern borderlands you will meet Lithuanians, Belarusians or even Tatars, in the West there are Germans, and here and there in Poland, Roma people, all these people have enriched our culture over many ages.

ten centuries that Poland was formally accepted although we had never ceased being European. Poland has always had a cultural part in the continent, contributing to the colourful European mosaic. There were times when the country itself would be erased from the map, yet the stubborn Polish nation always came back to its own, rightful and historical place. Right in the heart of Europe.

The start of the 21st century was marked by an increase in European Union member countries. Poland is changing every day, increasingly resembling those other members of the Community but it has never lost its identity and somewhat old-fashioned charm. Tourists visiting Poland value the country mostly for its unspoilt naturalness. Even though nowadays two-thirds of Poles live in cities and the countryside is gradually losing its legendary idyllic quality, many corners of Poland still remain relatively untouched by certain aspects of our modern world. A man with horses ploughing a field, crosses and roadside shrines and those old scarecrows in distant fields bring to mind an open-air ethnographic museum, except these are not just for show. In Poland, you still have a chance to lose yourself in time on winding Kashubian roads or in the narrow streets of some Silesian town, among ancient oaks and chestnut trees in park alleys or on the porch of a small village house, sitting with an old countrywoman, listening to her stories of "how things used to be back in the old days."
Far from the madding crowd, the hustle and bustle of everyday life, the quickened heartbeats of the ever-busy city dwellers, to places where people live their lives without haste.
Poland has always boasted a certain Eastern exoticism which appeals to Western visitors and, at the same time, a certain Western glitter attracting our Eastern neighbours.
Poland has always been the East to Western countries and the West to Eastern ones.
It has always been defiant, impatient and rebellious, with pretensions to the title of the Messianic leader of nations. We have never ceased to fight with one oppressor or another and when we lack enemies we quarrel with each other. Travellers roaming our country in the early 20th century would enthuse about our bravery, spirit of resistance and nonchalant chivalry. Throughout the ages our men have proved themselves to be brilliant horsemen then airmen, romantic heroes and incorrigible dreamers. And what about the women?
They are persistent, indomitable... and the most beautiful in the world. Everyone praises their beauty, admiring them (and then marrying them) or worshipping the entire population

CO CZWARTY BOCIAN NA ŚWIECIE JEST POLAKIEM. To najbardziej polski ze wszystkich ptaków, symbol prawdziwej, sielankowej wsi. Zgodnie z tradycją przynosi szczęście oraz... dzieci.

EVERY FOURTH STORK IN THE WORLD IS POLISH. It is the most Polish of all birds, a symbol of the genuine idyllic countryside. According to tradition it brings happiness and... children.

***

STAROPOLSKIE PORZEKADŁO GŁOSIŁO: „Gdańska gorzałka, toruński piernik, krakowska panna, warszawski trzewik – najlepsze rzeczy w Polsce". A z czym dzisiaj kojarzy się Polska? Wszyscy zgodnie na pierwszym miejscu wymieniają papieża Jana Pawła II, potem „Solidarność" i Wałęsę. Niektórzy zagraniczni goście wspominają jeszcze Fryderyka Chopina (jeśli wiedzą, że był Polakiem), inni Mikołaja Kopernika (podobna historia), a miłośnicy kina: Wajdę, Kieślowskiego i Polańskiego.
Dla nas samych symbolami Polski są Wawel, bociek i żubr, religia i Jasna Góra, złoto Bałtyku, czyli bursztyn, i Wisła, ostatnia tak wielka dzika rzeka Starego Kontynentu. No i oczywiście orzeł, biało-czerwona flaga i hymn – Mazurek Dąbrowskiego.
William Joseph Showalter, podróżujący po naszym kraju na początku XX wieku, pisał: „Płomienna miłość Polaka do wszystkiego co polskie rzuca się w oczy każdemu, kto tu przyjedzie. Będzie ci on mówił, że ich kuchnia jest smaczniejsza niż ta w Paryżu, pejzaż bardziej malowniczy niż w jakimkolwiek innym kraju, mowa najbardziej melodyjna spośród wszystkich, jakie wyszły z ust ludzkich, że nie ma na świecie tańca porównywalnego z mazurkiem, a najpiękniejsze kobiety i najdzielniejsi mężczyźni, jacy stąpali kiedykolwiek po powierzchni ziemi, znajdują się właśnie pośród nich...".
Najwyższa pora przypomnieć sobie te czasy. Niech ta książka będzie wyznaniem naszej dumy.

INTRODUCTION

THE YEAR IS 1000 AD. A procession of dignitaries and clerics headed by the Roman Emperor, Otto III, is forcing its way through the thick undergrowth. The journey has been long and arduous, the route leading through forests, across swamps and river fords. It is a wild land inhabited by little known, mostly pagan tribes. Imagine the travellers' surprise when reaching the magnificent town of Gniezno, they are given a royal welcome. This meeting was to be the Congress of Gniezno and would take Poland down the long road to its place in Europe. This road was full of obstacles and it was only after

Tekst i dobór zdjęć (Text and photoedition) *Katarzyna Sołtyk*
Zdjęcia (Photos) *Krzysztof Hejke, Piotr Skórnicki, Dariusz Zaród, Grzegorz i Tomasz Kłosowscy, Wiesław Lipiec, Ireneusz Dziugieł oraz Agnieszka i Włodzimierz Bilińscy, Jacenty Dędek, Paweł Fabijański, Piotr Januszewski, Wiesław Kaluszka, Beata i Mariusz Kowalewscy, Dariusz Krakowiak, Łukasz Łukasik, Artur Pawłowski, Katarzyna Sołtyk, Jarosław Sosiński*
Projekt graficzny, skład i łamanie (Design and DTP) *Antek Hubar*
Tłumaczenie (Translation) *Agnieszka Murawska*
Korekta (Proofreading) *Agnieszka Pietrzak, Zygmunt Nowak Soliński*
Skanowanie (Scanning) *Coolscan*
Druk i oprawa (Printing and binding) *OZGraf – Olsztyńskie Zakłady Graficzne S.A.*

ISBN-13: 978-83-7073-472-5, ISBN-10: 83-7073-472-3
MULTICO Oficyna Wydawnicza, 01-217 Warszawa, ul. Kolejowa 15/17
tel. 022 631 68 09, fax 022 631 72 30
e-mail: sekretariat@multicobooks.pl www.multicobooks.pl
Księgarnia internetowa (E-store) *www.multicobooks.pl*
e-mail: handlowy@multicobooks.pl tel. 022 632 77 97

P R A W D Z I W A

POLSKA

Skarby nadwiślańskiej krainy

THE REAL POLAND: *Marvels from the Land of the River Vistula*

TEKST / TEXT BY KATARZYNA SOŁTYK

MULTICO Oficyna Wydawnicza, Warszawa 2006

WSTĘP

BYŁ ROK 1000. Przez gęste leśne ostępy przedzierał się orszak dostojników i duchownych z rzymskim cesarzem, Ottonem III, na czele. Droga była długa i uciążliwa, wiodła przez nieprzebyte puszcze, bagna i brody na rzekach. Przez kraj dziki, zamieszkany przez nieznane, ciągle jeszcze w większości pogańskie plemiona. Jakież było zaskoczenie podróżnych, gdy na koniec dotarli do okazałego grodu – Gniezna, w którym przyjęto ich z iście królewskim przepychem.
To właśnie wtedy, podczas zjazdu gnieźnieńskiego, zaczęła się polska droga do Europy. Długa, wyboista, trwająca przeszło dziesięć wieków. Niedawno formalnie do niej dotarliśmy, choć przecież nigdy z niej nie wystąpiliśmy. Zawsze byliśmy w niej kulturowo obecni, dokładając swoją cegiełkę do barwnej europejskiej mozaiki. Czasem tylko wymazywano nas z mapy, ale jako naród uparty, ciągle wracaliśmy na swoje, przyznane nam przez historię miejsce. W samym środku Europy.

XXI wiek rozpoczął się wielką pogonią za krajami Unii Europejskiej. I choć Polska zmienia się z dnia na dzień, szybko upodabniając się do narodów, którym towarzyszy we Wspólnocie, to wciąż zachowuje niepowtarzalną odrębność i nieco staroświecki czar. Odwiedzający Polskę turyści najbardziej cenią sobie jej naturalność.
I choć dwie trzecie Polaków mieszka już w miastach, a wieś z wolna traci swą legendarną sielankowość, to jednak w wielu zakątkach Polski cywilizacja nie zagościła jeszcze na dobre. Konie pracujące na polach, krzyże i kapliczki stojące na rozstajach dróg i wciąż te same strachy na wróble nieustannie przywodzą na myśl żywy skansen.

POMNIK POLEGŁYCH STOCZNIOWCÓW W GDAŃSKU postawiono ku czci tych, którzy zginęli w grudniu 1970 roku z rozkazu polskich generałów. Symbol walki o wolność i niezależność. To tutaj miał miejsce początek końca europejskiego komunizmu.

THE MONUMENT TO THE SHIPYARD WORKERS was erected to honour the people who were killed in December 1970 by order of Polish generals. A symbol of the struggle for independence and sovereignty in the place that witnessed the beginning of the end of communism in Europe.

LEGENDARNA KNAJPA „SIEKIEREZADA" W CISNEJ doskonale oddaje atmosferę polskiego „Dzikiego Zachodu". Bieszczady wciąż przyciągają miłośników przygód i szukających ucieczki przed światem. Niejeden z nich przyjechał tu na kilka dni i został na całe życie.

THE LEGENDARY BAR 'SIEKIEREZADA' IN CISNA perfectly renders the atmosphere of the Polish 'Wild West'. The Bieszczady has always attracted adventurers and those seeking refuge from the everyday stress of life. Some came for a few days, and stayed forever.

W Polsce ciągle jeszcze jest szansa zagubienia się w czasie, wśród krętych dróg na Kaszubach, wąskich uliczek jakiegoś śląskiego miasteczka, wiekowych dębów i kasztanów tworzących parkowe aleje, czy przysiadając się na przyzbie u boku staruszki snującej opowieści o tym, „jak to drzewiej bywało". Z dala od wielkiego świata, codziennego zgiełku, gdzie ludzie żyją bez pośpiechu. Gdzie nie słychać przyspieszonych uderzeń serc zagonionych mieszkańców metropolii.
W Polsce wciąż można odnaleźć pewien posmak wschodniej egzotyki, pociągający gości z Zachodu, ale także zachodni blichtr wabiący naszych wschodnich sąsiadów.
Bo Polska jest, i zawsze była, Wschodem dla Zachodu i Zachodem dla Wschodu.
Zawsze też była krajem niepokornym, niecierpliwym i buntowniczym, z pretensjami do bycia mesjaszem narodów. Nieustannie z kimś wojujemy, a gdy zabraknie wrogów, kłócimy się między sobą. Podróżnicy przemierzający nasz kraj na początku ubiegłego wieku z zapałem opisywali polskiego walecznego ducha oporu i nonszalancką rycerskość. Nasi mężczyźni przez wieki dali się poznać jako znakomici jeźdźcy (najpierw na rumakach, potem w przestworzach), romantyczni bohaterowie i niepoprawni marzyciele. A kobiety? Te są wytrwałe, niezłomne i... najpiękniejsze na świecie. Wszyscy sławią ich urodę, zachwycając się pojedynczymi egzemplarzami (i poślubiając je) lub wielbiąc całą populację (w poezji, muzyce i filmie). Świat na przemian podziwia nas i żartuje sobie z naszych przywar. Dostarczamy mu rozrywki, wzruszeń i problemów. A zatem jesteśmy pawiem czy papugą narodów? A może jednym i drugim? Może właśnie w tych sprzecznościach tkwi największy urok naszej małej, wielkiej ojczyzny.

***

POLSKA TO EUROPA W PIGUŁCE. Natura szczodrze nas obdarowała, tworząc piękny i niezwykle różnorodny krajobraz, któremu charakteru dodały barwna kultura i burzliwa historia. Są tu fale nieposkromionego morza i skalne turnie Tatr przywodzące na myśl alpejskie krajobrazy. Są spokojne wody Zatoki Puckiej, strome klify i szerokie, piaszczyste plaże, których może nam pozazdrościć nawet Riwiera Francuska. Bo choć nasze wybrzeże nie jest najlepiej zagospodarowane, to zamiast stali i betonu mamy wydmy i sosnowe lasy, a zamiast gigantycznych hoteli – kameralne pensjonaty.

Jest Szwajcaria Kaszubska, polska Wenecja w Bydgoszczy czy polskie Carcassonne w Paczkowie i Mazury – nasza własna kraina tysiąca jezior, nie urodą, skalą jedynie ustępująca tej z Finlandii. Mamy też fragment najdzikszego lasu kontynentu, Puszczy Białowieskiej z najpotężniejszym europejskim ssakiem lądowym – żubrem. Są rwące górskie potoki i szerokie rozlewiska rzek. Soczysta zieleń łąk, głębokie jary i wąwozy, a nawet Pustynia Błędowska. I choć na tej ostatniej raczej trudno o fatamorganę czy burze piaskowe, bo i temperatury nie te, a i piasek dawno już porosła trawa, to dumna nazwa pozostała.
Południe kraju zajmują malownicze górskie krajobrazy. Zamki i pałace Dolnego Śląska przypominają o burzliwej historii regionu. W Wielkopolsce można odwiedzić miejsca, w których narodziła się państwowość polska, na Mazowszu zadumać się pod rosochatą wierzbą, a na Warmii i Mazurach podziwiać krzyżackie zamczyska i warownie pamiętające czasy wspaniałego rycerstwa, wielkiej historii i zaciekłych bitew.
Wreszcie na koniec warto udać się „do wód", do któregoś ze słynnych polskich spa, by podreperować zdrowie i zasmakować uzdrowiskowych uciech. A wszystko okraszone pełną mieszanką kultur: na wschodnich kresach spotyka się Litwinów, Białorusinów, a nawet Tatarów, na zachodzie – Niemców, zaś w całej Polsce – Romów, którzy od wieków dodają kolorytu naszej kulturze.

Mimo tego ogromnego bogactwa kulturowego i przyrodniczego od lat walczymy ze stereotypami, które rodziły się w świadomości Europejczyków od pokoleń.
Na szczęście białe niedźwiedzie na ulicach odchodzą już w niepamięć, a ponury, socjalistyczny kraj, w którym bieda wyziera z każdego kąta, zastąpiła całkiem nowa Polska. Piękna, fascynująca i niezmiennie gościnna.
O tej ostatniej przekonują się myśliwi przyjeżdżający do nas jak na afrykańskie safari, ornitolodzy i amatorzy podglądania ptaków, odnajdujący swój raj na rozlewiskach Biebrzy, ale także miłośnicy folkloru ściągający do Polski z najdalszych zakątków Europy, chcący przyglądać się z bliska barwnym świątecznym obchodom (zwłaszcza świąt religijnych) i unikatowym przykładom architektury drewnianej rozsianej po całym kraju.

W trakcie prac regulacyjnych skrócono bieg rzeki o ok. 160 kilometrów, a więc prawie jedną szóstą pierwotnej długości. Stąd liczne stopnie wodne i systemy śluz umożliwiające żeglugę oraz umocnienia brzegowe i przegrody przybrzeżne utrzymujące nurt na środku koryta. Wisła jest jej całkowitym przeciwieństwem. Nazywana królową, a za Polski Ludowej dyrektorową polskich rzek, jest prawdziwym unikatem w skali Europy, ostatnią tak wielką nieuregulowaną rzeką. Na wielu odcinkach zachowała swój naturalny charakter z licznymi piaszczystymi łachami, starorzeczami i bystrzami. Raz płynie leniwie, rozlewa się szeroko, tworząc płycizny i wyspy zamieszkiwane przez liczne gatunki ginących ptaków, to znów przyspiesza, budząc ze snu wiry i podmywając wysokie brzegi. Na przestrzeni wieków spełniała liczne funkcje: chroniła przed najazdami wnętrze piastowskiego państwa, od średniowiecza na jej stromych zboczach budowano warownie. W XVI i XVII wieku przeżywała złote lata, stając się jednym z głównych szlaków handlowych Europy. W czasie zaborów była zaś rzeką-symbolem. Podzielona między trzy zabory stała na straży jedności kraju i przetrwania narodu. Dziś, kiedy cała rzeka leży w granicach Rzeczypospolitej, a żegluga na niej niemal całkowicie zamarła, pozostały Wiśle dwie główne funkcje: zaopatrywanie w wodę oraz energię. Wciąż też pozostaje rzeką-symbolem, najbardziej polską z rzek.

***

PODRÓŻUJĄC PO KRAJU Z PÓŁNOCY NA POŁUDNIE, odbędziemy wspinaczkę: od najniżej położonego wybrzeża, przez rozległe niziny, wąski pas wyżyn, aż po szczyty gór. Ponad 500 kilometrów wybrzeża to w większości łagodnie schodzące ku wodzie piaszczyste plaże, na które od wieków sztormy wyrzucają kawałki złocistych bursztynów. Ale są tu też wysokie klify Wolina i wydmy Słowińskiego Parku Narodowego. Bo polskie wybrzeże to nieustająca walka dwóch żywiołów: ziemi i wody, lądu i morza. Pod naporem fal urwiste fragmenty osuwają się do morza. W sposób najbardziej spektakularny widać to w Trzęsaczu, gdzie natura niszczy nie tylko krajobraz, ale i boski przybytek – kościół, z którego została już tylko jedna ściana stercząca ponad wysokim urwiskiem. Równocześnie tworzą się nowe fragmenty lądu – mierzeje (m. in. Wiślana i Helska), oddzielające od fal morskich zatoki, a nawet całe jeziora (Gardno, Łebsko, Jamno).

JACHT POD PEŁNYMI ŻAGLAMI to oprócz kobiety w tańcu i konia w galopie jeden z najpiękniejszych obrazów świata.

A YACHT UNDER FULL SAIL is, apart from a dancing woman and a galloping horse, one of the most beautiful sights in the world.

KRAINA BAGIEN I MOCZARÓW. *Wiosną biebrzańskie rozlewiska kwitną aż po horyzont. Pośród przepastnych mokradeł najbezpieczniej czują się ptaki. Każdego roku ściągają tutaj niezliczone gatunki. Niektóre zatrzymują się tylko na odpoczynek, inne zostają aż do jesieni.*
THE LAND OF MARSHES AND SWAMPS. *In the spring, as far as the eye can see, the Biebrza wetlands blossom. These vast marshes are the perfect home for birds. Many species arrive here every year. Some just for a short break in their journey, others stay until autumn.*

PRZYDROŻNE KRZYŻE i kapliczki stojące na rozstajach są nieodłącznym elementem polskiego krajobrazu.

ROADSIDE CROSSES and shrines standing at crossroads are an inherent element of the Polish landscape.

Gdy oddalimy się od morza, trafimy na pojezierza urozmaicone garbami wzgórz, pośród których srebrzą się tafle jezior, a kępy zieleni tworzą bagnisty świat moczarów, zagajników i trzcinowych zarośli. Maleńkie oczka wodne toną w gęstwinie lasów, rozległe Śniardwy, Mamry, Wigry rozlewają się szeroko po okolicy. Wszystkie razem tworzą zaś skomplikowany system, połączony siecią rzek, kanałów i śluz umożliwiających podróżowanie po nich. Ten wodny świat to raj dla miłośników żeglowania, kajakarstwa czy wędkowania. Ale szukający spokoju powinni udać się raczej bardziej na zachód, na jeziora Kaszub i Pojezierza Pomorskiego. Są słabiej zagospodarowane, ale prawie dziewicze.

***

W SAMYM ŚRODKU NASZEGO KRAJU rozciągają się nostalgiczne niziny. Widok równin aż po horyzont zaspokaja odwieczną tęsknotę za wolną, otwartą przestrzenią. Przed oczami są tylko pola i łąki, przywodzące na myśl dawne stepy i mokradła, choć w rzeczywistości zajmują miejsca po wiekowych puszczach. W tej bezkresnej przestrzeni życie (oczywiście poza miastami) toczy się wolno, jakby ludzie dostosowali się do leniwego nurtu szeroko rozlewających się rzek, do monotonii krajobrazu urozmaiconej jedynie samotnymi drzewami czy rzędami pochylonych wierzb. Tu częściej niż gdziekolwiek indziej spogląda się w niebo, bo to ono sprawia więcej niespodzianek niż ziemia.
Za plecami tych bezkresów wyrasta Puszcza Białowieska – mroczna i tajemnicza. Kraina wiekowych drzew, ogromnych wykrotów, omszałych pni, powalonych leśnych olbrzymów. Zielona plątanina przesiąknięta zapachem grzybów i butwiejącej ściółki.
Po długiej, nizinnej wędrówce wkraczamy wreszcie na teren pofałdowany, poprzecinany ciekami rzek i wartkich strumyków. Z falującymi szachownicami niewielkich poletek. Gdzieniegdzie wyrastają przed nami zaskakujące formy skalne – ostańce Jury Krakowsko-Częstochowskiej wykorzystane przed wiekami do budowy niedostępnych zamczysk nazywanych „orlimi gniazdami". Gdzie indziej znów trzeba uważać, by nie zagubić się w labiryncie wąwozów głęboko wcinających się w ziemię lubelską czy sandomierską. Nad tym wszystkim zaś wyrasta Puszcza Jodłowa pokrywająca pasmo niewysokich, ale niezwykle starych Gór Świętokrzyskich. To tutaj od zarania dziejów legendy ludowe umiejscawiały sabaty i zloty czarownic z całego kraju.

***

I WRESZCIE GÓRY, najbardziej różnorodne i wzbudzające najwięcej emocji.
Na zachodzie piętrzą się Sudety z Górami Stołowymi, gdzie woda, wiatr i czas wyrzeźbiły zadziwiające formy, oraz z niezwykle malowniczymi Karkonoszami. Tutaj rządzi duch gór, Liczyrzepa, i pogoda. To one zimą zamieniają góry w krainę Królowej Śniegu, kiedy szadź oblepia gałęzie drzew, skały, przydrożne znaki oraz budynki, a nawet źdźbła traw.
Największą sławę zyskały niewielkie Tatry, jedyne polskie góry o alpejskim charakterze. Skaliste i wyniosłe górują nad resztą kraju, zachwycając majestatem, budząc grozę i od niemal 150 lat wabiąc wędrowców. O każdej porze roku inne, najpiękniejsze są chyba zimą, kiedy jedynymi towarzyszami nielicznych turystów są ośnieżone szczyty i morza chmur.
Dzikie Bieszczady, znane z krwawej wojny polsko-ukraińskiej, akcji „Wisła" bądź jako zabiedzony, zabity dechami koniec Polski, od lat fascynują i pobudzają wyobraźnię.
Ale jak śpiewa Artur Andrut, bieszczadnik-emigrant: „Tu najlepszy, najżyczliwszy żyje naród. I nieprawda, że tu bieda, głód i nędza. Na mieszkańca tu przypada czarnej ziemi 6 hektarów, tona drewna, niedźwiedź i dwie trzecie księdza". Miejscowi dodają, że „Bieszczady są jak piękna kobieta – nie można od nich oczu oderwać". Zwłaszcza kiedy lato powoli przekwita i góry przyoblekają rudozłotą szatę. Wiatr tłucze się po Tarnicy, a wysokie trawy połonin ogarnia wszechobecna jesienna nostalgia. Wtedy najłatwiej odnaleźć w tych górach ostoję wciąż jeszcze dzikiej przyrody, unikatowe na skalę europejską „żywe muzeum natury", ziemię obiecaną wędrowców, azyl dla rozbitków życiowych i raj dla poszukiwaczy przygód.

LECH, CZECH I RUS. W wielkopolskim Rogalinie rosną trzy potężne dęby pomnikowe. Nazwano je imionami słowiańskich książąt, którzy według legendy w okolicznych borach osaczyli potężnego rogacza. Stąd też nazwa miejscowości.

LECH, CZECH AND RUS. In Rogalin, a village in Wielkopolska, grow three mighty, monumental oaks. They were named after Slavic princes, who, according to legend, cornered a powerful stag in a nearby forest. The name of the village refers to the animal.

WSTĘGI RZEK. Po spłynięciu z gór rzeki gwałtownie wytracają prędkość. Stąd meandry wijące się pośród lasów i łąk porastających wyżyny. / THE RIBBONS OF RIVERS. Having flown down from the mountains, the current suddenly slows. And the river meanders among the woods and meadows that cover the uplands.

ROZTOCZAŃSKIE SZUMY. Wodospady na Roztoczu nie są wysokie (największy na potoku Jeleń ma 1,5 metra), ale niezwykle malownicze i wydają rozkoszne, orzeźwiające dźwięki.

ROZTOCZE CASCADE. The waterfalls of Roztocze are not overwhelming in size (the biggest one on the Jeleń stream is 1.5 metres high) but with their refreshing sound are extremely picturesque.

LANDSCAPES

SINCE THE DAWN of our time on this planet, Man has tried to 'tame' his world, molding the environment around him. At first he cultivated the fields, built mounds, pyramids and stone circles. Then came the time for castles and cities, which in these last decades have exploded into sprawling concrete jungles. But a human life span is but a speck on the dial of history. The main features of our contemporary environment were shaped during millennia by forces much more powerful than those wielded by our passing civilizations.
They were forged in the fires of enormous volcanoes, sculpted by glaciers and powerful winds, in the creeping changes of our climate and during momentous catastrophes. It is to these natural forces that this land owes its marvelous geographical diversity.
The charm of the Polish countryside cannot be conveyed in a single photo, a single image, which might elicit a resounding: "Yes! That indeed is Poland!" For though Poland is a lowland country, a view of rolling fields heightened by Masovian willows cannot convey the complete nature of this country. Where are the mountains? – the Highlanders ask, and where is the sea? – say the Kashubians. Where are the wide stretches of sandy beaches, the high cliffs, the hundreds of lakes squeezed between countless hills? The Bieszczady Mountain pastures, the Tatra crags, the stone mushrooms of the Stołowe Mountains, the rock-strewn Świętokrzyskie plain and the Jurassic inselbergs? Diversity and contrast – there is certainly enough of both in the Polish countryside. And the further south you go, the more mountainous the landscape becomes.

***

ALL OF THIS TERRAIN is contained between two rivers: the tame Odra, and the wild Vistula. The Odra is a regulated river and an important navigational route, connecting Upper Silesia with the Baltic Sea. The process of taming the river began as early as the 18th century. As a result of the work the river was shortened by about 160 kilometers. This meant a system of locks had to be constructed as well as enforced embankments and barriers to keep the current in the middle of the channel and to make the river navigable.

The Vistula is a river completely different in character. Called the Queen of Polish rivers, (in the time of the People's Republic of Poland – the President of Polish rivers) she is unique on a European scale – the last unregulated river of this size on the continent. In many parts the river has maintained its natural state, with numerous sandbanks, unchanged riverbeds, and rapids. At times languid and wide, creating shallows and islands inhabited by numerous endangered species of birds, at other times swift and full of eddies and endlessly eroding precipitous banks. Throughout the ages she has served many functions: protected the interior of the Piast state against invasions, and as always since the Middle Ages its banks have been lined with mighty castles. The 16th and 17th centuries were her golden years; she was one of the main trading routes of Europe. During the period of The Partitions of Poland she became a symbol. Divided between the three occupants, she guarded the country's unity and national identity. Today, with its entire course located within the borders of the Polish Republic and navigation on her waters very limited, the Vistula serves two main functions: providing water and energy and the potent symbolism of the most Polish of all rivers.

If you traverse the country southwards, you will be in for a bit of a climb; from the low lying coastline, through the sprawling lowlands, into the narrow belt of the Highlands and the mountain peaks.

The more than 500 kilometers of coastline of this country is mainly composed of sandy beaches, sprinkled here and there with sea smoothed pieces of amber, gently descending towards the water. Here you will also find the rising cliffs of Wolin Island, and the moving sand dunes of the Słowiński National Park. The Polish coast is a testament to the endless struggle of two elements: earth and water, land and sea. Under the relentless onslaught of the Baltic waves, even the cliffs finally topple into the sea. The process can be observed at its most spectacular in Trzęsacz, where the forces of nature continue changing not only the countryside, but also the house of God, a church, of which only a single wall remains,

TATRY – DOLINA GĄSIENICOWA. Jedna z najczęściej odwiedzanych dolin w Tatrach Wysokich otwiera drogę do skalistych grani, szczytów i stawów. Stąd już tylko krok do Czarnego Stawu Gąsienicowego, na Kościelec czy Kasprowy Wierch.

THE TATRAS – GĄSIENICOWA VALLEY. One of the most frequently visited valleys in the High Tatras leading to rocky ridges, peaks and lakes. The Black Lake, the Kościelec peak or the Kasprowy Wierch Mountain are just around the corner.

perched on the edge of a precipice. At the same time new pieces of land are created – the sandbars (the Vistula sandbar, the Hel sandbar among others) separating gulfs, or even entire lakes (Gardno, Łebsko, Jamno) from the sea.

As we move away from the seashore we come across hills, among which the glistening surfaces of countless lakes glimmer in the sun's brilliant light, and patches of green create an intricate labyrinth of swamps, groves and reed thickets. Tiny pools are all but swallowed up by thick forests, while the majestic Śniardwy, Mamry and Wigry lakes cover acres of land with their silver mantle. All these bodies of water are a complex system, linked by a network of rivers, channels and locks, enabling uninhibited passage. This aquatic wonderland is a dream come true for enthusiasts of sailing, kayaking, or fishing. Those looking for quiet refuge should venture even further westwards, towards the lakes of Kaszuby and Pojezierze Pomorskie. They are less developed, less visited, virgin lands, untainted as yet by the passage of Man.

***

THE MIDDLE OF OUR COUNTRY is composed of evocative lowlands. The vision of these flatlands stretching out towards the horizon satisfies some deep, primal longing for open spaces. Just fields and meadows, a reminder of the older steppe lands and swamps – though in reality they have replaced ancient forests, not the steppes. In this boundless space country life moves at a slower pace, as if the people adapted their lives to the lazy flow of the wide rivers, to the emptiness of the countryside, broken only by the occasional trees, or rows of bowed willows. Here, far more often than anywhere else, you look up to the sky.

Beyond the plains rises the dark and mysterious Białowieża Forest. It is a land of ancient trees, empty glades, and the moss-covered trunks of fallen forest giants. A lush, green tangle, thick with the smell of mushrooms and the pungent detritus of nature.

After a long trek through the lowlands we finally reach a stretch of rolling land cut with numerous rivers and streams. A chessboard of tiny fields. From time to time surprising rock formations sprout from the ground – the inselbergs of the Jura Krakowsko-Częstochowska – used in ages past in the construction of tall castles called 'eagle's nests.' In other places one needs to take care not to get lost in the labyrinth of ravines and gorges, slashing across Lubelskie and Sandomierskie. High above rises the Jodłowa Forest, covering the range of low,

SPŁYW DUNAJCEM NA DREWNIANYCH TRATWACH jest jedną z najbardziej znanych atrakcji Pienin. Na turystów czekają bystre nurty rzeki, duch Janosika (rozbójnika, który zabierał bogatym i oddawał biednym) oraz potomkowie flisaków.

RAFTING DOWN THE DUNAJEC RIVER is one of the best attractions of Pieniny. Tourists will experience the swift current of the river, maybe meet the spirit of Janosik (a highwayman who robbed the rich and gave to the poor) and get to know the rafters.

but incredibly old Świętokrzyskie Mountains. It is here according to folk legends that witches from all over Poland converged to hold their Sabbaths.

Finally – the mountains, both diverse and exciting. In the west rise the Sudety and Stołowe Mountains, sculpted into amazing shapes by rain and violent winds. Next we find the picturesque Karkonosze Mountains, the dominion of the mountain spirit, Liczyrzepa, and fickle weather, which during wintertime turns the mountains into a veritable Snow Queen's realm, encasing trees, rocks, road signs, buildings, and even blades of grass in hard hoarfrost. The most prominent of the mountain ranges are the Tatra Mountains, the only Polish mountain range of an alpine nature. Rocky and lofty, they rise proudly above the rest of the country, enchanting in their majesty, at the same time foreboding and mesmerizing, for nearly 150 years luring many a wanderer. Different during each season, the mountains are probably at their most beautiful in winter, when the rare traveler's only companions are the snow-capped peaks and vast expanses of bustling clouds.

The wild Bieszczady Mountains, identified mostly with bloody Polish-Ukrainian conflicts during operation 'Wisła', or typified as a poverty-stricken, God-forsaken backwater of Poland, have fascinated and stoked the flames of imagination for countless years. In the words of Artur Andrut, an emigrant troubadour: "Here lives the kindest of all nations. And it's untrue, that poverty and hunger reign supreme, for you get 6 acres of land, a ton of wood, a bear and two thirds of a priest per man here." The locals add that "Bieszczady are like a beautiful woman – you cannot tear your eyes away from them." Especially when the summer slowly ripens into autumn and the hills don their coppery garments laced with gold. The wind thrashes about Tarnica, and the tall grasses covering the mountain pastures sway in all-pervading autumn wistfulness. It is then that you see the mountains clearly, the last bastion of Nature still unbridled, a 'living museum' unique on a European scale, a promised land for those ruled by wanderlust, a haven for life's castaways, and an adventurer's paradise.

DOLINA PIĘCIU STAWÓW POLSKICH w Tatrach Wysokich wypełniona jest jeziorami polodowcowymi. Największe – Wielki Staw Polski ma 31,14 ha powierzchni i leży na wysokości 1665 m n. p. m.

THE FIVE LAKES VALLEY in the Tatra Mountains is filled with post-glacier lakes. The largest one – The Great Polish Lake is over 31 hectares in size and is situated at an altitude of 1665 m.

510 KILOMETRÓW PLAŻ. Wystarczy odejść kilka kroków w bok od głównych deptaków i kurortów, by w samotności podziwiać zachód [illegible] / 510 KILOMETRES OF BEACHES. You just need to walk a few steps from the main boardwalks and resorts to ponder

ZIMĄ MORZE I PLAŻA ZMIENIAJĄ OBLICZE. Słońce zamiast w lśniących, drobnych ziarnkach piasku, odbija się w białych płatkach śniegu. Ale zimowe wybrzeże rzadko bywa tak spokojne, częściej burzy się i faluje, spiętrzając na brzegu zwały kry. / IN WINTER THE SEA AND BEACHES CHANGE COMPLETELY. The sun is reflected in the white snow instead of the gleaming, fine-grained sand. However, winter seashore is rarely so peaceful; it is often cold and windy and the waves pile up heaps of ice on the beach.

NEPTUN SIĘ GNIEWA. *Jeśli lubisz pełne plaże i tłumy turystów, wybierz się nad Morze Bałtyckie latem. Ale jeżeli zależy ci na ciszy, spokoju, wyrusz tam jesienią. Wtedy nawet największe kurorty i najsłynniejsze plaże świecą pustkami.* / ANGRY NEPTUNE. *If you like packed beaches and crowds of tourists visit the Baltic Sea in the summer. But if you are interested in some peace and quiet and you want to contemplate nature in by yourself, go there in autumn when even the biggest resorts and most popular beaches are practically deserted*

GŁADKA TAFLA MORZA to nieczęsty widok nad Bałtykiem. Zwykle biegają po nim białe grzywacze fal nieustająco niszczących wybrzeże. Stąd często spotykane falochrony, pale i umocnienia powstrzymujące furię żywiołu. / THE GLASSY SURFACE OF THE SEA is a rare sight on the Baltic. Usually, there are white crested waves slowly but surely eroding the coastline. That is why you see so many breakwaters, wooden barriers and reinforcements holding off the fury of the elements.

KONIEC POLSKI. Przylądek Rozewie jest najdalej na północ wysuniętym skrawkiem kraju. Tutaj według jednych zaczyna się, a według innych kończy Polska.

THE END OF POLAND. Rozewie Cape is the most northern point of the country. This is where, according to some, Poland begins and according to others – where it ends.

LETNIE WIECZORY NAD BAŁTYKIEM są długie i ciepłe. Coraz lepiej zagospodarowane plaże w pobliżu słynnych letnisk, takich jak Chałupy, pozwalają na aktywne spędzanie czasu na Wybrzeżu.

SUMMER NIGHTS AT THE BALTIC are long and warm. Well developed beach facilities in the vicinity of summer resorts such as Chałupy enable tourists to spend their seaside holiday actively.

NASZA ZIMA (NIE TAKA) ZŁA. *Kiedy ściśnie mróz, drzewa przyoblekają białe stroje. Świat zastyga w bezruchu.*
WALKING IN A WINTER WONDERLAND. *When it is crackling cold the trees put on their white coats. The world freezes in its tracks.*

POLSKA AMAZONIA. *Wiosną bez trudu można zrozumieć, dlaczego rejon rzek Narwi i Biebrzy nazywany jest „polską Amazonią". Na szczęście zamiast piranii w ich wodach pływają niegroźne szczupaki, ukleje i sumy europejskie.*
POLISH AMAZONIA. *In the springtime it becomes quite obvious why the area of the Narwia and Biebrza rivers is often called 'the Polish Amazonia.' Fortunately, instead of piranhas their waters are inhabited by quite harmless pikes, bleaks and European catfish.*

NAJWIĘKSZE POLSKIE JEZIORO – *Śniardwy – rozlewa się pośród mazurskich krajobrazów szeroko niczym morze. Zajmuje 113,8 km^2 powierzchni.* / THE LARGEST POLISH LAKE – *Śniardwy spreads as wide as a sea in the Masurian landscape. It covers an area of 113.8 km^2.*

BUKOWY LAS najpiękniej prezentuje się jesienią, kiedy las wybucha feerią barw, a buki, jawory, brzozy, modrzewie i olchy tworzą kolorowe kobierce. Można się w nie wpatrywać niczym w obraz, który wyszedł spod ręki impresjonisty. / BEECH WOODS look best in autumn, when the forest becomes a feast of colours and the beeches, sycamores, birches, larches and alders create a richly patterned carpet. You can look at this Impressionist painting of colour for hours.

MAZURSKIE PEJZAŻE. Kiedy ponad taflą jeziora unosi się mgła, wydaje się, jakby Ziemia oddychała.
MASURIAN LANDSCAPE. When the surface of the lake is covered with mist it seems as if the Earth is breathing.

MAZURY – KRAINA TYSIĄCA JEZIOR. Choć należałoby powiedzieć – tysięcy żagli. Raj dla miłośników dwóch żywiołów: wody i powietrza, albo dokładniej – wiatru.

MASURIA – LAND OF A THOUSAND LAKES. Or you could call it the land of a thousand sails. A paradise for enthusiasts of two elements: water and air, or more correctly – the wind.

NIZINNE KRAJOBRAZY. Wierzby i wijąca się pośród nich wstęga drogi tworzą typowy krajobraz polskich nizin.
LOWLAND LANDSCAPES. Willows and a ribbon of a road meandering between them are a typical Polish lowland landscape.

GRA KOLORÓW. Żółte pola rzepaku kontrastują ze stalowymi chmurami. Obok czerwonych maków i złotych łanów zbóż to najbardziej typowy widok rolniczej Polski. / PLAY OF COLOURS. A yellow rapeseed field contrasts with a steel blue sky. Along with red poppy flowers and golden cornfields, this is the most typical landscape of rural Poland.

BAŚNIOWA KRAINA KRÓLOWEJ ŚNIEGU. Zimowa szadź, powstała z przemrożonych kropelek mgły osadzających się na wszystkich przedmiotach, potrafi każdy, nawet najbardziej banalny krajobraz zamienić w magiczną krainę z baśni.
A FAIRY-TALE LAND FOR THE SNOW QUEEN. Winter hoar frost created from frozen droplets of mist covering everything turns even the most banal landscape into a magical, fairy-tale land.

WISŁA SKUTA LODEM. Podczas mroźnych zim największa z rzek – Wisła – zamarza, czasem na całej szerokości. Można ją wtedy przebyć w poprzek na piechotę. / ICE-BOUND VISTULA RIVER. During very cold winters the greatest Polish river – the Vistula – would sometimes freeze from bank to bank. And then you can walk right across it.

SZUMY NAD TANWIĄ. Na Roztoczu wytyczono szlaki, dzięki którym można oglądać typowe dla regionu skalne progi na rzekach, zwane szumami. Najpiękniejsze znajdują się w rezerwatach: „Szumy nad Tanwią" i „Czartowe Pole".
OVER THE TANEW. In Roztocze trails have been marked out leading to rock steps on the rivers, a typical formation in this region. The most beautiful examples can be found in reserves called 'Over the River Tanew' and 'Devil's Field.'

CHOCHOŁY NA POLACH. *Zwiastują pożegnanie lata, bo choć zgodnie z kalendarzem trwa jeszcze do 23 września, to po zbiorach i dożynkach wieś przygotowuje się już do jesieni.* | SHEAVES OF STRAW IN THE FIELDS. *A herald of the end of summer; although according to the calendar summer lasts until September 23, after the harvest the country starts preparing for the autumn.*

NA PODHALU w słoneczny przejrzysty dzień wyniosłe szczyty Tatr wydają się na wyciągnięcie ręki. / IN PODHALE, on a clear, sunny, day the lofty Tatra peaks seem to be very close.

KRÓLESTWO LICZYRZEPY. *Każde szanujące się góry mają swojego dobrego ducha. W Karkonoszach jest nim Liczyrzepa, nawiedzający turystów nad stawami i w pobliżu schronisk czy wędrujących na najwyższy szczyt – Śnieżkę.*
THE KINGDOM OF LICZYRZEPA. *Every mountain region has its good spirit. In Karkonosze there is Liczyrzepa, who haunts visitors to the lakes or near the hostels and bikers climbing the highest summit called Śnieżka.*

SZYBUJĄC PONAD OBŁOKAMI. *Morza chmur to zjawisko często spotykane na szczytach Tatr, zwłaszcza zimą, kiedy cieplejsze powietrze spływa do dolin, a na górze utrzymuje się siarczysty mróz. Widok na najwyższy szczyt Tatr Zachodnich – Kasprowy Wierch.*

SOARING ABOVE THE CLOUDS. *An ocean of clouds is a phenomenon often seen above the Tatra peaks, especially in the winter when the warm air flows down to the valleys and its biting cold high above. The view from the highest peak in the Western Tatras – Kasprowy Wierch.*

MISS PIENIN. Szlak na Sokolicę pełen jest turystów żądnych mocnych wrażeń. Na szczycie czeka na nich niezapomniany widok; stojąc przy barierce, zdaje im się, jakby szybowali ponad doliną Dunajca.

MISS PIENINY. The trail to Sokolica is full of thrill seekers. The view from the top is unforgettable; standing by the rail makes one want to fly out over the Dunajec valley.

WARTKIE POTOKI SPŁYWAJĄCE Z GÓR wyglądają malowniczo i niewinnie. Często łatwiej dosłyszeć ich szum, niż odnaleźć je pośród gąszczu drzew.

RAPID STREAMS FLOWING DOWN THE MOUNTAINS look picturesque and innocent. Sometimes it's easier to hear them than to find them in the trees.

POTOKI, STAWY I SIKLAWY. *Tatrzańskie stawy dają początek potokom, a te wodospadom przez górali nazywanym siklawami.*
STREAMS, LAKES AND WATERFALLS. *The Tatra lakes give birth to streams which turn into waterfalls called 'siklawa' in the Highland dialect*

223
3

W KRAINIE ŚNIEGU. Najwyższe szczyty Sudetów zimą wyglądają nierealnie. Okiść śnieżna wraz z grubą warstwą szadzi zamieniają drzewa, skały, a nawet źdźbła trawy w zastygłe postaci. A wszystko to za sprawą wilgotnego powietrza znad Atlantyku, zamarzającego na przemrożonych powierzchniach. / IN THE LAND OF SNOW. The highest peaks of the Sudety look unreal in the winter. A cap of snow and a thick layer of hoar frost turn trees, rocks and even blades of grass into frozen figures. It is all because of the humid air from the Atlantic that freezes on cold surfaces.

NAJWYŻSZE POLSKIE GÓRY, choć niewielkie, chętnie odwiedzane są przez narciarzy. Łatwy dostęp do nich zapewnia kolej linowa na Kasprowy Wierch.

THE POLISH MOUNTAINS, although not impressively high, attract many skiers. They are easily accessible by cable car to Kasprowy Wierch.

DEMON W OBŁOKACH. W Tatrach najłatwiej spotkać widmo gór, zwane widmem Brockenu. Stojąc na szczycie bądź grzbiecie górskim, ze słońcem za plecami i morzem chmur pod stopami, można dojrzeć własny cień na obłokach.
DEMON IN THE CLOUDS. In the Tatras one can encounter a mountain ghost known as Bracken Ghost. When you stand on a mountain peak or ridge with the sun behind you and an ocean of clouds under your feet, you might just be able to see your own shadow on the clouds.

ŚWIAT ZWIERZĄT

PRZYGOTOWUJĄC SIĘ KIEDYŚ do wakacyjnego wyjazdu, zadzwoniłam do biura specjalizującego się w organizacji wycieczek przyrodniczych. Prosiłam o pomoc w wyborze najlepszego miejsca dla miłośników podglądania zwierząt, a zwłaszcza ptaków. Francja, Hiszpania, a może któryś z krajów skandynawskich – myślałam. „A po co polskich turystów dokądkolwiek wysyłać, skoro prawdziwą ptasią mekkę mają u siebie?" – zapytał nieco oburzony właściciel firmy. To do nas, nad Biebrzę, przyjeżdżają Anglicy, Holendrzy i Niemcy. W Białowieży podziwiają żubra, w Bieszczadach mogą natknąć się na niedźwiedzia, a jeśli mają dużo szczęścia i potrafią podchodzić zwierzynę, to nawet wilka czy rysia. Polacy wciąż jeszcze nie doceniają walorów rodzimej przyrody, gdy tymczasem zagraniczni goście dawno już ją odkryli. Potwierdzają to obserwacje jednego z dziennikarzy odwiedzających na wiosnę biebrzańskie rozlewiska: „Na stanowisku w okolicach Trzciannego poczułem się jak mniejszość narodowa. Wśród kilkudziesięciu osób byłem jedynym Polakiem..." Aż ciśnie się na usta słynny cytat: „Cudze chwalicie, swego nie znacie."

Polska to kraj niezwykle gościnny dla wielu gatunków zwierząt. Przybywają do nas ze wszystkich stron świata i wiele z nich zostaje. Nawet te, które w innych rejonach Europy dawno już wyginęły, jak choćby mała, szaropopielata wodniczka. Zajmujemy czołowe miejsce w rankingu liczebności takich gatunków, jak wydry, kormorany czarne i wilki. U nas też znajduje się największe zimowisko nietoperzy. Do podziemi Międzyrzeckiego Rejonu Umocnień, chronionych w rezerwatach Nietoperek i Nietoperek II, na jesień przylatuje 30 tysięcy nietoperzy...

***

W LESIE NIEMAL RÓWNOCZEŚNIE można spotkać najmniejszego i największego ssaka lądowego Europy, czyli ryjówkę malutką (żarłoczny gryzoń wielkości chrząszcza), i 150 tysięcy razy większego, potężnego żubra. Tego ostatniego na wolności najłatwiej obserwować zimą wokół paśników. Gromadzą się tam stada liczące nawet 100 osobników. Z nastaniem wiosny rozchodzą się po lesie. Poza człowiekiem i głodem żubry nie mają wrogów. Podobnie jak łosie, drugie co do wielkości i wagi zwierzęta lasów. Choć są ogromne (samce osiągają do 3 metrów długości i 2,5 metra wysokości w kłębie) i ważą nawet pół tony, dzięki potężnym racicom z niesłychaną gracją i zwinnością poruszają się po grzęzawiskach. Łoś, niekwestionowany władca bagien, jest też niezłym pływakiem. Można go spotkać zarówno podczas wędrówek szlakiem, jak i wypatrzyć z okien samochodu – podobno osiągnięcia techniki budzą w nim więcej ciekawości niż lęku. Nieco trudniej natknąć się na wilka – unika spotkań z ludźmi. Za to na każdym kroku znajdziemy ślady bytności bobrów: poobgryzane pnie drzew i bobrze budowle – żeremia. W Białowieży od 1529 roku statut litewski nakładał na właścicieli gruntu obowiązek ochrony bobrów i środowiska w pobliżu ich gniazd „w odległości jednego rzucenia kija od tego żeremia". Władcy otaczali opieką również wielkie puszczańskie zwierzęta: żubra i niedźwiedzia. Ale w tym samym czasie urządzali polowania.
W roku 1860 do Białowieży zjechał car Aleksander II. W ciągu 20 dni zdołano osaczyć 57 żubrów, 3 łosie, 23 dziki, 36 saren, 17 wilków, 15 lisów, 14 borsuków i 100 zajęcy oraz 14 danieli. Na pamiątkę tej rzezi postawiono spiżowy pomnik żubra.
Na szczęście polowania na taką skalę należą już do przeszłości.
Dziś zimą po polskich lasach rozchodzi się przeciągłe, tęskne wycie wilków nawołujących się przed wyruszeniem na polowanie. Jesienią można usłyszeć intrygujące pohukiwanie sów, latem zaprzyjaźnić się z wszędobylskimi bocianami – ptakami jednoznacznie utożsamianymi z polskim pejzażem, a wiosną zatracić się w ptasim raju nad Biebrzą. Spotkanie z sarną, zającem czy stadem dzików też jest prawie pewne niemal w całej Polsce. Nie mówiąc już o dzięciole czy skowronku, które można podziwiać dosłownie wszędzie. Choć tego ostatniego szybciej usłyszymy, niż zobaczymy. Jego szarobrązowe pióra zlewają się z kolorem ziemi, ale gdy śpiewa, wszyscy podnoszą wzrok ku niebu, zachwyceni najweselszą melodią słonecznych dni.

UWIERZ W ŻUBRA. Króla puszczy najłatwiej spotkać zimą, kiedy z braku pożywienia w lesie wychodzi żerować na polany. Przy paśnikach można zaobserwować nawet po sto osobników.

THE GREAT BISON. The king of the forest can be spotted easily in the winter when there is no food in the woods and he comes to feed in clearings. Sometimes up to a hundred bison gather around feeding racks.

***

DOLINA BIEBRZY to jedno z niewielu miejsc, gdzie powódź nie budzi paniki, lecz przyjmowana jest ze spokojem, jako naturalne zjawisko wyznaczające rytm życia przyrody. Kiedy rzeka występuje z brzegów, nad rozlewiska nadciągają niezliczone ilości ptaków, te najbardziej pospolite i te prawdziwe „białe kruki". Ponad łąkami wznoszą się stada dzikich gęsi, po rzece dostojnie pływają łabędzie. Bataliony (ornitologiczny rarytas i symbol parku) paradują w barwnych kryzach i prowadzą ze sobą pozorowane walki. Nietrudno też wypatrzyć sylwetkę szybującego drapieżnego ptaka. Jedne zakładają tu gniazda, dla innych podmokła dolina jest jedynie przystankiem przed dalszą wędrówką na północ.
Żurawie, jako jedne z pierwszych, przylatują w marcu. „Rola pierwszego ptaka w lecącym kluczu jest... kluczowa" – mawia ornitolog, Stefan Kłosiewicz.
To one od lat nieomylnie wybierają podlaskie bagna jako terytorium do lądowania. Dzięki nim od wiosny do jesieni można podziwiać eleganckie sylwetki ptaków wyłaniających się z blednących ciemności nocy. Taniec, którym żuraw wyraża swoje podniecenie, jest widowiskiem tak inspirującym, że w Japonii uczyniono z niego rytuał mający zapewnić szczęście i długie życie.
Dzikie gęsi i czajki wraz z żurawiami zwiastują wiosnę. W tym miejscu należy wyjaśnić za ornitologami, że powiedzenie „głupia gęś" jest jawną dyskryminacją tego niezwykle inteligentnego ptaka. Niektóre jego poczynania przypominają nawet zachowania ludzi, bądź co bądź istot ponoć rozumnych. Łączą się w pary na zawsze i wspólnie opiekują pisklętami. W rzeczywistości nie jest to jednak taka sielanka. Podobno jaja w jednym gnieździe mogą pochodzić od różnych ojców. Przypuszcza się więc, że gdy samiec „urywa się" z gniazda, jego małżonka także nie marnuje czasu. Widać gwarancja sukcesu genetycznego warta jest dla gęsi więcej niż dozgonna wierność. Ale związek trwa nadal. U ludzi taki stan rzeczy nazywa się prawdziwą, dojrzałą miłością.

CZAPLA SIWA to ptak powszechny na ziemiach polskich i w całej Europie. Z reguły swoje gniazda lokuje w koronach wysokich drzew, gdzie przez 25-26 dni wysiaduje jaja. Pisklęta są początkowo pokryte brązowo-szarym puchem.

THE GREY HERON is a bird common to Poland and all of Europe. It usually builds nests in the crowns of high trees; after 25-26 days of incubation, chicks covered with brown and grey down hatch from the eggs.

W ślad za pierwszymi ptakami na bagna ściągają ptakoluby z całego świata, czyli miłośnicy podglądania ptasich wdzięków. Są jak myśliwi – tropią, polują i kolekcjonują trofea. Ale zamiast broni noszą lornetki, lunety i aparaty z teleobiektywami. Jak wędrowne ptaki, potrafią przebyć setki i tysiące kilometrów, by do swej listy dopisać kolejny gatunek: bocian czarny, orlik krzykliwy, dublet, batalion, sowa błotna. Żeby dołączyć do grona podglądaczy, trzeba być: rannym ptaszkiem, mieć wzrok sokoła, słuch sowy, spryt kruka i czujność żurawia. No i do tego anielską cierpliwość – w końcu anioły to też skrzydlate stworzenia.

THE ANIMAL WORLD

I PLANNED A HOLIDAY TRIP once and I called an agency specializing in Nature excursions. I asked for a tip about the best places to watch animals, especially birds. Would it be France, Spain or maybe some Scandinavian country? I wondered why the owner of the company seemed rather indignant when he said: "Why on earth would a Polish tourist want to go abroad when the Mecca for ornithologists is right here?" It is our country and the beautiful Biebrza River that attracts English, Dutch and German Nature lovers. They come to Białowieża to admire the bison, in Bieszczady they look for bears and if they are really lucky and know how to stalk game they might even see a wolf or a lynx. Poles still underestimate the qualities of their native environment, whereas foreign visitors discovered it long ago. It is enough to read the notes made by a journalist while visiting the Biebrza wetlands: "At a spot near Trzcianne village I felt like a part of a national minority. Among a few dozen people I was the only one from Poland ..." What can you say? The grass is greener on the other side of the fence... or hill.

Poland is a hospitable place for many animals. They arrive here from various parts of the world and many of them stay, even the ones with no habitats in other European regions such as the small, grey aquatic warbler. We boast the most numerous

KRÓL BAGIEN. Łoś, choć zamieszkuje też inne rejony kraju, najlepiej zadomowił się na Podlasiu. W przeszłości najbardziej okazałe egzemplarze były ulubionym trofeum myśliwych.

KING OF THE SWAMPS. The elk, although also found in other Polish regions, has made Podlasie its home. In the past the most impressive specimens with the widest antlers were a hunters' favourite trophy.

JELONEK, gdy dorośnie, będzie miał piękne, rozłożyste poroże. / A FAWN will have beautiful antlers when it grows older.

PUSZYSTY RUDZIELEC. Lisy stały się pospolitymi ssakami, ich nory znajduje się niemal wszędzie, często coraz bliżej ludzkich siedzib. Sroga zima, jaka zdarza się raz na kilka lat, to dla nich bardzo trudny okres. W jej przetrwaniu pomaga gęste futro.

FLUFFY GINGER. Foxes have become quite common and their earths can be found nearly everywhere, often quite close to human settlements. A really harsh winter which happens every few years is a very difficult time for foxes. Their thick fur helps them survive low temperatures.

populations of otters, great cormorants and wolves. We have the largest winter habitat of bats: the bunkers of the Międzyrzecz Fortified Front with the Nature Reserves of Nietoperek and Nietoperek II are home every autumn to 30 thousand bats.

***

IN POLISH FORESTS there is always the chance of spotting both the smallest and the biggest land mammals in Europe: respectively, the pygmy shrew (a voracious rodent, the size of a beetle) and a creature 150 thousand times larger, the mighty bison. The bison can be seen in the winter in the vicinity of the feeding racks, where herds counting up to 100 bison sometimes gather. When the spring comes they disperse in the forest. They have no enemies except humans and hunger; the same goes for elks, the second biggest and heaviest animal in these woods. Although they are extremely large (bull elks can reach a length of 3 metres and a height of 2,5 metre at their withers) and weigh up to half a ton, they wander the swamps with extraordinary grace and agility on their large hooves. The elk, the indisputable king of the marshes, is also a skilled swimmer. You can spot him when hiking along forest trails or from a car; it is said that technical achievements make the elk much more curious than afraid.

Spotting a wolf is more challenging; they avoid contact with people. On the other hand, traces of beaver activity such as chewed tree trunks and beaver constructions, lodges, can be seen in many places. In 1529 in Białowieża, a Lithuanian statute placed landowners under an obligation to protect beavers and the environment surrounding their lodges "up to the distance of a stick's throw from a lodge". Sovereigns also had to look after the larger forest animals: bison and bear. At the same time, however, they organised great hunting expeditions. In 1860 Tsar Alexander II paid a visit to Białowieża. Within a period of twenty days 57 bison, 3 elks, 23 wild boars, 36 roe deer, 17 wolves, 15 foxes, 14 badgers, 100 hares and 14 fallow deer were killed. This massacre was commemorated by a bronze statue of a bison. Fortunately, hunts on such scale are a thing of the past.

POSTRACH WSZYSTKICH ŻAB. Bociany białe wbrew obiegowej opinii nie jadają wyłącznie żab. Równie chętnie polują na owady i gryzonie. Czasem pasą się na łące w pojedynkę, czasem można je zobaczyć w stadach.

THE TERROR OF ALL FROGS. White storks, in spite of the popular notion, do not feed solely on frogs. They also enjoy insects and rodents. Sometimes they hunt on a meadow singly, other times a whole flock can be seen feeding.

SZLACHETNY WYGLĄD KANI RUDEJ może zmylić. To agresywny ptak, zajadle broniący swego rewiru lęgowego. W Polsce występuje głównie w województwach zachodnich.

THE NOBLE APPEARANCE OF THE RED KITE can prove to be misleading. It is a bird that will defend its breeding grounds fiercely. In Poland it is mostly found in western regions.

SOWA JEST SYMBOLEM MĄDROŚCI. Łatwo zwątpić w to tradycyjne przekonanie, spoglądając na straszydło ze zdjęcia. Młode puchacze przez pierwszych kilka tygodni poruszają się niezdarnie, podskakując i biegając oraz strasząc swym wyglądem napotkanych leśników.

THE OWL IS A SYMBOL OF WISDOM. One might not want to give this traditional belief much credit looking at this picture. For the first few weeks of their life, young towny owls move very clumsily; they jump and trot around the forest scaring people with their looks.

Nowadays in winter Polish forests resound to the cry of wolves as the animals call to each other before venturing out on a hunting expedition. In the autumn you can hear the intriguing hooting of owls, while in the summer there is a chance of a certain familiarity with the ubiquitous white stork – birds considered an integral part of the most typical Polish landscape. The spring is the perfect time to visit the bird sanctuary in the Biebrza Valley. Coming across a roe deer, a hare or a herd of wild boars is nothing unusual in virtually any Polish forest, not to mention woodpeckers or skylarks which can be seen everywhere. The latter is usually first heard then spotted. Its grey-brown feathers merge with the colours of the earth but when it sings everyone looks up to the sky, enchanted by the merriest melody on sunny days.

***

THE BIEBRZA VALLEY is one of few places where a flood is not a reason to panic; it is accepted calmly as a natural phenomenon, a part of the rhythm of the day to day life of the region. When the river overflows its banks, countless numbers of birds flock to the wetlands; both the most common and the very rare species. Flocks of white geese hover above the meadows and swans sail majestically on the river. Ruffs (an ornithological rarity and the symbol of the park) strut around showing off their colourful neck feathers or perform sham fights. It is not difficult to spot the silhouette of a bird of prey soaring high in the sky. Some birds stay in the region to build their nests, others treat the marshy valley as a stop on a journey further to the north.

Cranes are one of the first birds to arrive here in March. “The role of the bird leading the V-formation is that of... a leader” says ornithologist Stefan Kłosiewicz. They are the ones who unerringly choose the swamps of the Podlasie region for their landing field. From spring to autumn you can admire their elegant silhouettes emerging into the early morning light. The dance that cranes perform during their mating season is such an inspiring show that in Japan it was turned into a ritual to bestow happiness and long life.

Wild geese and lapwings together with cranes are harbingers of the spring. It should be explained here that the expression "What a goose!" is a blatant ornithological injustice towards these extraordinarily intelligent birds. Some of their actions resemble the behaviour of humans (also known as Homo sapiens). They mate for life and raise their offspring together. However, it is not as idyllic as it may seem: chicks in one nest can come from different fathers. Hence, it is supposed that when the male 'bunks off' his spouse does not waste time either. Apparently, ensuring genetic success is more important to geese than lifelong faithfulness. Yet, the relationships last. With humans this state of affairs would be called... unfaithfulness.

Following the arrival of the first birds in the spring, the marshes become frequented by bird watchers from all over the world. They are like hunters: tracking, hunting and collecting trophies. Their weapons of choice are binoculars, telescopes and cameras with telephoto lenses. Like migratory birds, they can cover distances of hundreds or thousands of kilometres just to add another species to their list: black stork, lesser spotted eagle, great snipe, ruff, short-eared owl. In order to join their ranks you need to be an early bird yourself, with the eye of an eagle, the hearing of an owl, you have to have the cunning of a raven and the patience of a crane. And, on top of all that, the serenity of an angel. After all angels are winged creatures, too.

WODOODPORNE PTAKI. Łabędzie zamieszkują niemal wszystkie rodzaje wód. W Polsce nie spotyka się ich jedynie w górach. Swoje gęste, śnieżnobiałe pióra pielęgnują z wielką pieczołowitością, gdyż zapewniają im nie tylko urodę, ale i wodoodporność – pokryte są bowiem oleistą wydzieliną.

WATERPROOF BIRDS. Swans inhabit nearly all kinds of waters. In Poland they are in every region except for the mountains. They take care of their thick, snow-white feathers with great commitment not only making them beautiful but also waterproof; their feathers are covered with an oil secretion.

ŻURAWIE ODLATUJĄ DO CIEPŁYCH KRAJÓW. *Polska jest ptasim rajem. Wiosną rozgrywają się tu widowiskowe toki cietrzewi, latem rozbrzmiewa gorąca pieśń skowronków. Jesienią zaś ptaki zbierają się w stada i odlatują do ciepłych krajów, by powrócić na wiosnę.*
CRANES FLY OFF TO WARM COUNTRIES. *Poland is a paradise for birds. In the spring it becomes an arena for spectacular display calls from black grouse, in the summer the country resounds with the rousing songs of skylarks. In the autumn the birds gather in flocks and fly off to warm countries.*

BOCIANIE GNIAZDO NA DACHU DOMOSTWA OZNACZA SZCZĘŚCIE DLA GOSPODARZY. *Dawniej ptaki budowały gniazda prawie wyłącznie na dachach. Ale kiedy strzechę zastąpiono dachówką, eternitem i blachą, coraz częściej zaczęły przenosić się na słupy elektryczne.*
A STORK'S NEST ON THE ROOF OF A HOUSE BRINGS LUCK TO THE HOUSE OWNER. *These birds used to build nests only on roofs. However, when thatch was replaced by roof tiling and metal sheeting, some storks moved to electricity poles.*

KOT Z PĘDZELKAMI NA USZACH. *Ryś jest jednym z dwóch (obok żbika) dzikich kotów zamieszkujących polskie lasy. Największa populacja żyje w Kampinoskim Parku Narodowym, gdzie prowadzi się działania zmierzające do ocalenia zagrożonego drapieżcy.* / A CAT WITH TUFTED EARS. *The lynx is one of the two (along with the European wild cat) species of wild cat that inhabit Polish forests. The biggest population of lynx can be found currently in the Kampinos National Park where a program designed to save these endangered predators is in operation.*

WZÓR WDZIĘKU I ELEGANCJI. *Żurawie przylatują do Polski już w marcu. Niestraszne im śniegi i mrozy. Już wtedy można obserwować ich smukłe sylwetki wylaniające się z bledniących ciemności nocy.* | A MODEL OF CHARM AND ELEGANCE. *Cranes come to Poland as early as March. They are not easily put off by frost and snow. You can watch their slender silhouettes emerging with the dawn.*

SALAMANDRA PLAMISTA, choć to zwierzę lądowe, lubi środowisko wodne. Chętnie wygrzewa się w jesiennym słońcu. Zupełnie jakby przed długim, zimowym letargiem chciała rozgrzać się na zapas. Najłatwiej spotkać ją w Bieszczadach i Sudetach.

THE EUROPEAN FIRE SALAMANDER. Although a land animal this creature likes an aquatic environment as well. It loves to bask in the autumn sun, as if to store the warmth for the long winter ahead. It is most common to Bieszczady and Sudety.

ZIELONE RZEKOTKI ŁATWIEJ USŁYSZEĆ, NIŻ ZOBACZYĆ. Idealnie wtapiają się w zieleń środowiska, w którym żyją.

GREEN TREE FROGS CAN BE EASILY HEARD BUT NOT AS EASILY SPOTTED. These frogs merge perfectly with the greenery in their environment.

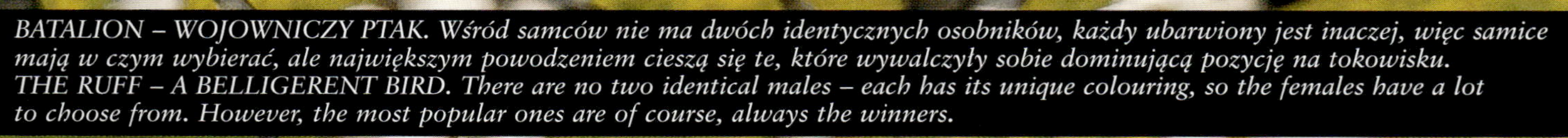

BATALION – WOJOWNICZY PTAK. *Wśród samców nie ma dwóch identycznych osobników, każdy ubarwiony jest inaczej, więc samice mają w czym wybierać, ale największym powodzeniem cieszą się te, które wywalczyły sobie dominującą pozycję na tokowisku.*
THE RUFF – A BELLIGERENT BIRD. *There are no two identical males – each has its unique colouring, so the females have a lot to choose from. However, the most popular ones are of course, always the winners.*

RYBITWY RZECZNE gniazdują w koloniach liczących nawet ponad sto par. Gniazda najchętniej zakładają w miejscach zacisznych, na przykład na piaszczystych łachach rzecznych. / COMMON TERNS nest in colonies amounting to sometimes more than hundred pairs. They prefer to build their nests in quiet spots e.g. river sandbanks.

BLISKIE SPOTKANIA TRZECIEGO STOPNIA. *Spotkania z dzikimi zwierzętami nie należą do rzadkości. Na sarny czy jelenie można natrafić zarówno podczas wędrówek po lasach, jak i na otwartych przestrzeniach.* / CLOSE ENCOUNTERS OF THE THIRD KIND. *It is not that difficult to come across wild animals. The roe and red deer can be spotted on a walk in the forest, even in open spaces.*

GORĄCY ODDECH ŻURAWIA. Niezwykle widowiskowe są jesienne wędrówki żurawi, przed którymi ptaki zbierają się wieczorami na tradycyjnych noclegowiskach. Na przełomie września i października można zobaczyć nawet po kilka tysięcy ptaków.
WANDERING CRANES. The autumn migration of cranes, preceded by the gathering of the birds in the evening around their nests, are a spectacular sight. At the end of September and the beginning of October flocks of several thousand birds can be seen.

NIE TAKI STRASZNY WILK. Jeden z najbardziej tajemniczych ssaków świata wciąż strzeże swoich tajemnic. I choć liczebność wilków rośnie, trudno je spotkać, bo kryją się przed ludźmi głęboko w puszczy. Żyją w rodzinnych stadach zwanych watahami.

LONE WOLVES. One of the most mysterious mammals in the world still guards their secrets. Although the population of wolves is growing, it is difficult to encounter them because they hide from people deep in the forest. They live in family units called packs.

BIELIK TO NASZ PTAK HERBOWY I DUMA NARODOWA. Choć dzisiaj łatwiej zobaczyć go na defiladach i flagach niż w naturze.

THE WHITE-TAILED EAGLE IS OUR COAT OF ARMS AND NATIONAL EMBLEM. However, it is easier to see it on parades and flags than in Nature.

PIÓRKO DO KAPELUSZA. *Czaple białe w czasie godów mają na szyi, piersi i grzbiecie długie i delikatne pióra, których używano kiedyś jako ozdoby damskich kapeluszy. Ptaki te prawie doszczętnie wytępiono. Na szczęście ostatnio jest ich coraz więcej.* / FEATHER FOR A HAT. *In the mating season, great white egret have long and delicate feathers on their neck, breast and back. In the past these were often used for decorating women's hats. Great white egrets have almost become extinct; fortunately, their number has been increasing recently.*

NAJBARDZIEJ POSPOLITY PTAK DRAPIEŻNY EUROPY. *Myszołowy najczęściej obserwuje się, kiedy majestatycznie szybują ponad lasami i łąkami lub kiedy siedzą na niewysokich drzewach czy słupach, wypatrując zdobyczy. Znacznie trudniej zaobserwować myszołowy w walce.* / THE MOST COMMON BIRD OF PREY IN EUROPE. *Common buzzards can usually be spotted hovering majestically over forests and meadows or sitting in trees looking for their next meal. It's much more difficult to see them hunting.*

ŚWIAT ROŚLIN

TO NIE BĘDZIE ROZDZIAŁ O GINĄCYCH GATUNKACH, roślinach reliktowych czy endemicznych. Ani rozprawka o ochronie unikalnych zbiorowisk, których w Polsce nie brakuje. Trudno byłoby w kilku słowach opisać wszystkie 23 parki narodowe (o łącznej powierzchni przekraczającej 3000 km^2) oraz liczne rezerwaty przyrody i chronione w nich gatunki. To będzie zaproszenie do podróży w przeszłość. W czasy, kiedy znaczna część Europy, w tym tereny dzisiejszej Polski, była tajemniczą krainą nieprzebytych puszcz i grząskich bagien. Wbrew pozorom nie potrzeba do tego wehikułu czasu. Wystarczy wizyta na Podlasiu.

***

JEŚLI NIE WIDZIAŁEŚ PUSZCZY BIAŁOWIESKIEJ, nie wiesz, jak wygląda prawdziwy, pierwotny las. Potężny, dziki i wolny, w którym odwieczny krąg życia i śmierci toczy się bez ingerencji człowieka. Tutaj obumierające drzewa usychają z godnością, a martwe leżą, tam gdzie upadły, stając się podłożem dla nowego życia. Tego wszystkiego nie zobaczymy w lasach zagospodarowanych, gdzie wycina się chore egzemplarze i usuwa przewrócone pnie. Dno puszczy jest puste, prawie bez krzewów, wydaje się niemal przestronne, ale równocześnie przytulne od porozrzucanych zmurszałych kłód otulonych miękkim mchem. Nawet runa jest niewiele, tylko na wiosnę rozkwitają zawilce, bielą się dywany wonnego czosnku niedźwiedziego. Kolumny starych dębów, klonów, lip i świerków stoją jakby z dala od siebie. Ich korony spotykają się dopiero gdzieś tam, wysoko ponad głowami, tworząc zwarty parasol

liści i gałęzi. Skąpe światło, odarte z czerwonego widma, z trudem przedzierając się przez ten naturalny filtr, tworzy na dnie puszczy nieziemską, zielonkawą poświatę. Gdzieniegdzie z ziemi sterczą potężne wykroty – tarcze korzeni przewróconych drzew. Krzyżujące się konary zagradzają drogę nieproszonym gościom, tajemnicze, wydeptane przez zwierzynę ścieżki urywają się gdzieś na bagnach.
Białowieskie ostępy nazywa się puszczą, choć słowo to pierwotnie oznaczało miejsce puste, głuche i odludne. Ale ponieważ na naszych ziemiach takie głusze zazwyczaj były porośnięte lasem, dlatego właśnie nazywano je puszczami. I tak już zostało. Przez wieki Puszcza Białowieska przetrwała w niemal nienaruszonym stanie dzięki łowiectwu. XV-wieczny kronikarz, Jan Długosz, opisywał wielkie łowy króla Władysława Jagiełły w 1409 roku, które trwały 8 dni. Już wówczas puszczę uznano za wyjątkowo cenny teren, wyłączono ją z osadnictwa i objęto specjalną ochroną jako dziedziczne dobro koronne.
I choć nie zawsze obchodzono się z nią właściwie, jej siły witalne są tak wielkie, że przetrwała do dzisiaj i wciąż zachwyca naturalnością niespotykaną już nigdzie indziej w Europie.

***

NA PODLASIU takich naturalnych krajobrazów jest więcej. Na przełomie kwietnia i maja na rozległych bagnach i torfowiskach doliny Biebrzy oraz rozlewiskach Narwi odbywa się jeden z najpiękniejszych spektakli przyrody, jaki można oglądać w Europie. Po wiosennych roztopach obie rzeki rozlewają szeroko, tworząc na obszarze prawie 1000 km^2 labirynt podtopionych łąk, wystający z nich kęp zarośli i torfowisk, płytkich jeziorek i leniwie płynącego nurtu. Wszystko to urozmaicają pasy wydm, naturalne punkty widokowe. Żółte kaczeńce kontrastują z błękitem wody i świeżą zielenią wiosennych traw.
Tak wielkich bagien jak w naszym Biebrzańskim Parku Narodowym nie ma w żadnym innym miejscu Europy Środkowej. Wszędzie przepastne trzęsawiska, żywcem przeniesione z Mickiewiczowskich poematów, „tak głębokie, że ludzie dna ich nie dośledzą, wielkie jest podobieństwo, że diabły tam siedzą". Nieprzebyta puszcza i zdradzieckie bagna uczyniły region niedostępnym, tworząc naturalną i równocześnie strategiczną przeszkodę. Kronikarze krzyżaccy tutejsze ziemie, objęte sporem między Zakonem i pogańską Litwą, określali mianem „głuchej puszczy". Tędy przebiegały granice między polskim Mazowszem a Wielkim

WIOSENNY KWIAT. Śnieżyczka przebiśnieg, w skrócie nazywana przebiśniegiem, zwiastuje rychłe nadejście wiosny.

SPRING FLOWERS. Snowdrops announce that spring is very near.

WSZYSTKIE KOLORY ROKU. Zima jest monochromatyczna, wiosna wybucha wszystkimi barwami kwitnących kwiatów, lato niemal jednokolorowe – zielone, a jesień bywa ognistoczerwona. Żadna inna pora roku nie dostarcza tylu estetycznych wrażeń.

ALL THE COLOURS OF THE YEAR. Winter is monochromatic, spring explodes with thousands of colours of blossoming flowers, and summer is predominantly green and autumn fiery red. No other season is as colourful.

Księstwem Litewskim, tutaj też toczyły się walki podczas wojny rosyjsko-niemieckiej. Dziś okolica jest bezpieczna i spokojna, choć nadal trudno dostępna.
O ironio, najmniejsze powierzchniowo polskie parki narodowe (Tatrzański, Pieniński i Ojcowski) zajmują pierwsze miejsca pod względem liczebności gatunków roślin. Najmniejszy, Ojcowski, słynie z unikalnej, ciepłolubnej roślinności spotykanej jedynie na wapiennych, nasłonecznionych skałach. Niewiele większy Tatrzański jest miniaturką Alp, ze wszystkimi konsekwencjami, czyli piętrami roślinnymi typowymi dla wysokich gór skalistych. Niejeden miłośnik gór bez wahania przyzna, że jak każda miniaturka, wydaje się znacznie ładniejszy od oryginału. Jest też Babiogórski Park Narodowy, który dla gór jest tym, czym Białowieski dla nizin. Tylko w nim zachowały się fragmenty puszczy karpackiej o charakterze naturalnym. Wreszcie kolejna perła – Słowiński Park Narodowy z wydmami, kroczącymi górami piachu. To tam drzewa umierają stojąc. Zwierzęta mogą uciekać przed z wolna posuwającą się ścianą piachu, ale drzewa giną pogrzebane żywcem. Kilkadziesiąt bądź kilkaset lat później pojawiają się niczym duchy przeszłości w postaci wypłowiałych, powykręcanych szkieletów.
Siedem spośród 23 naszych parków zostało uznanych przez UNESCO za rezerwaty biosfery. A Białowieski Park Narodowy umieszczono na Liście Światowego Dziedzictwa Kulturowego i Przyrodniczego, stawiając go w jednym rzędzie z wyspami Galapagos na Oceanie Spokojnym, parkiem Serengeti w Tanzanii czy Wielką Rafą Koralową w Australii.
W najbliższych latach planuje się utworzenie jeszcze kilku parków: Jurajskiego na Wyżynie Krakowsko-Częstochowskiej, Mazurskiego w okolicach jeziora Śniardwy i Turnickiego na przedgórzu Bieszczad.

***

BEZ WZGLĘDU NA PORĘ DNIA, roku czy pogodę każdy z nich jest wytchnieniem od codzienności. Groźne turnie skalne przystrojone porostami, ukwiecone hale, wiekowe górskie buczyny; pradawne puszcze, tysiące jezior i stawów, a nad morzem bezludne plaże czy urwiste klify, na których drzewa utrzymują się ostatkiem sił poskręcanych korzeni. Nie sposób odmalować słowami piękna tych widoków i ich nieustannych przeobrażeń w odwiecznym cyklu narodzin i śmierci, czy tylko przebudzenia, rozkwitu, a potem snu,

OSTATNIA TAKA PUSZCZA. *Z dna Puszczy Białowieskiej sterczą potężne wykroty. Pnie poprzewracanych drzew leżą tam, gdzie upadły, dając nowe życie niezliczonym gatunkom roślin. Dlatego mówi się, że drzewa po śmierci są bardziej żywe niż za życia.* / THE LAST GREAT FOREST. *The floor of the Białowieża Primeval Forest is scattered with pits and hollows of fallen trees which are left where they collapsed thus giving life to other species of plants. That is why it is said that trees are more alive when dead than as living plants.*

który obserwujemy każdego roku od nowa. Przyrodnik śledzący przemijanie barw, kształtów, zapachów i krajobrazów staje się w głębi duszy artystą. A artysta próbujący oddać piękno przyrody staje się jej znawcą i obrońcą. Oddajmy więc głos artystom-przyrodnikom, czyli fotografom, oraz ich pełnym ekspresji obrazom.

THE PLANT WORLD

THIS IS NOT A CHAPTER dealing with species facing extinction or relict or endemic plants. Nor is it a dissertation about the preservation of unique plant communities still commonly found in Poland. It would be impossible to describe all 23 national parks (total area of over 3000 km^2), as well as the numerous nature reserves and the protected species living there in just a few words.
This is an invitation to a journey into the past. Back to the days when a considerable part of Europe including what is known today as Poland was a mysterious land of impenetrable forests and impassable marshes. Amazingly enough, you will not need a time machine; you just need to take a trip to Podlasie.

***

IF YOU HAVE NEVER BEEN to the Białowieża Forest, you have not seen a real, primeval forest: This is potent, wild Nature, where the eternal cycle of life and death is uninterrupted by human intervention. Here, dying trees wither with grace and lie where they have fallen

DRZEWA, KTÓRE LECZĄ. Zgodnie z tradycją brzozy mają właściwości lecznicze. Często w lasach, zagajnikach czy parkach można zobaczyć ludzi obejmujących biały pień brzozy.

HEALING TREES. According to tradition birches have healing properties. In forests, groves or parks you can sometimes see people hugging the white trunks of a birch.

becoming themselves the beginnings of new life. You will not see it in managed woods where diseased trees are cut down and fallen trunks removed by forestry workers.
A primeval forest floor is quite bare, with little undergrowth, it seems spacious. Here and there fallen trees and branches lie, all shrouded in moss. Vegetation is sparse; until the spring when the anemones bloom and a white carpet of fragrant bear's garlic spreads across silent glades. Oaks, maples, limes and spruces like pillars stand distant from each other. High above their crowning branches meet creating a dense umbrella of vegetation. Scanty light, the reds sifted out on the way through this natural filter creates a greenish pall which radiates from the forest floor. In some places the mighty roots of fallen trees protrude from hollows. Crossed and broken boughs bar the way to unbidden visitors who might stumble upon mysterious pathways trodden by silent animals, these sinuous trails ending suddenly at the edge of marshes.
The dark woods of Białowieża are called 'puszcza' (Polish for primeval forest) although the etymology of this term goes back to the times when the word meant an empty, deserted and remote place. However, in our land this kind of wilderness would usually be forested so it was often given this name. Hence the meaning of the word today, 'a forest.' Puszcza Białowieska remained almost unspoilt for centuries because of hunting. Jan Długosz, a 15th century chronicler, described the great hunts of King Władysław Jagiełło in 1409 that would go on for up to 8 days. At that time the forest had already been recognized as an extraordinarily important area and taken under special protection as hereditary Crown lands, where no one was allowed to build settlements. And although it was not always treated with the respect it deserved its great vital force enabled it to survive until today in all its unspoilt and magnificent natural glory, to be found no where else in Europe.

***

THE PODLASIE REGION boasts many of these unspoilt areas. At the end of April and the beginning of May the vast swamps and peat bogs of the Biebrza valley as well as the wetlands of the Narwia River are the scene of a marvellous wildlife display rarely seen in other parts of the continent. After the melting of the snow in the spring both rivers flood a vast area of nearly a 1000 km^2 creating a maze of watery meadows, dense thickets, bogs and shallow lakes with the current languidly flowing through them. The view is further embellished by strips of sand

NAJBARDZIEJ SŁONECZNY KWIAT. Słonecznik jest nie tylko piękny, ale też niezwykle pożyteczny. Rosnący pośród wiejskiej, drewnianej zabudowy, przypomina najlepsze czasy dawnej polskiej wsi.

FLOWER OF THE SUN. Sunflowers are not only beautiful but also very useful. Growing among rural wooden buildings they evoke the best and most potent memories of ancient Polish countryside.

dunes and Natures beauty spots, where yellow marsh marigolds contrast with the blue grey waters of the river and the bright greens of the spring grass. There are no other wetlands anywhere in Central Europe as extensive as the ones in the Biebrza National Park; vast swamps as far as the eye can see, as if taken straight from a poem by Mickiewicz, the Polish romantic poet: "so deep that bottomless they seem to one's eyes, quite probably a place where the devil must hide." The impenetrable forests and treacherous marshes rendered this region inaccessible creating a natural and at the same time strategically crucial defence point.
Teutonic Order chroniclers described these lands, a bone of contention between pagan Lithuania and the Order, as the "God-forsaken forests." It is here that the borders between Polish Masovia and the Grand Duchy of Lithuania once ran and the battles of the Russian--German war took place. Nowadays, the area is safe and peaceful, yet still not easily accessible.
The national parks of Poland which are the smallest in terms of area (Tatra, Pieniny and Ojców) have the greatest number of plant species. The smallest one, Ojców Park, is famous for its unique, stenothermic flora that grows only on the sun-warmed limestone rocks.
Slightly larger Tatra Park is a miniature Alpine world containing an entire range of vegetation typical of high mountains. Many mountain enthusiasts claim that, as is case with miniature versions, the area seems much prettier than the original. Babia Góra National Park is the mountainous equivalent of the Białowieża Forest, where fragments of the Carpathian primeval forest still survive. Finally, by the sea: Słowiński National Park and its moving dunes.
Here trees die standing. Animals can escape the slowly moving sand but the trees are 'buried alive'. Many years later as the dune passes on their faded, twisted, dried out remains emerge from the ground like spirits from the past.
Seven of our 23 have been recognized by UNESCO as biosphere reserves. Białowieża National Park has earned a place on the List of Cultural and Natural World Heritage which contains the Galapagos Islands in the Pacific Ocean, the Serengeti Park in Tanzania and

KOLOROWE DROGI. Szpalery drzew zdobiące stare trakty i nowe szlaki Mazur, Pomorza i Podlasia najpiękniej prezentują się jesienią.

COLOURFUL ROADS. Lines of trees along old routes and new trails in Masuria, Pomerania and Podlasie look most beautiful in the autumn.

The Great Barrier Reef off the coast of Australia. There are plans for creating several new parks in the next few years: a Jurassic Park on the Cracow-Częstochowa Upland, a Masurian Park in the Śniardwy Lake area and Turnicki Park in the Bieszczady Mountains lowlands.

***

REGARDLESS OF THE TIME OF DAY, the season or the weather, each one of these parks provides a refuge from the stress of everyday life. Mighty rock peaks covered with lichen, pastures sprinkled with flowers, age-old mountain beech woods, primeval forests, swamps and bogs, thousands of lakes and tarns, all beckon. And by the sea – deserted beaches and steep cliffs barely bearing the weight of the trees that cling to the soil with their twisted roots. It is not possible to put into words the beauty of all these places and their constant transformation in the eternal cycle of life and death – or the simple awakening, blooming and sleeping – that we observe anew every year. The land breaks out into a bouquet of spring colours, turns green in the summer only to wear gold and red in autumn to finally change into its wintry coat of snow. A naturalist tracking this pageant of colours, form, scents and vistas in his heart becomes an artist. An artist struggling to render the beauty of Nature becomes its devotee and protector. So, let's welcome our artists-naturalists, our photographers and their expressive images.

TRUJĄCY KWIAT–PŁYWAK. Knieć błotna, potocznie zwana kaczeńcem, występuje jedynie na terenach podmokłych, bagnistych łąkach, brzegach stawów. Potrafi też pływać, dlatego rozprzestrzenia się na duże odległości. Świeże rośliny są trujące, choć dawniej wykorzystywano je w lecznictwie ludowym.

POISONOUS FLOATING FLOWER. Marsh marigold commonly known as kingcup occurs only in the wetlands, on marshy meadows and lake shores. It can also float, and is how it spreads far and wide. Fresh plants are poisonous although in the past they were used in folk medicine.

SCENERIA NICZYM Z HORRORU. *Mroczne kontury drzew rozświetlone błyskawicą rozdzierającą nocne niebo nabierają nieziemskiego wyglądu.*
HORROR MOVIE SETTING. *The dark outlines of trees illuminated by lightning splitting the night sky have an unearthly look.*

PODLASKIE ŁĄKI są doskonałym terenem do podglądania dzikiej zwierzyny, stąd liczne stanowiska do ich obserwacji.
MEADOWS IN PODLASIE are the perfect place for watching wild game, hence the numerous towers designed for this purpose.

„GDY STRUMYK PŁYNIE Z WOLNA…” – chciałoby się zaśpiewać na widok łąki pełnej biało-żółtych kwiatów do złudzenia przypominających słynną stokrotkę. Tymczasem to złocień pospolity, nazywany też margerytką. / FRESH AS A DAISY… springs to mind. A popular saying at the sight of a meadow full of white and yellow flowers deceptively similar to daisies. In fact, these are chrysanthemum also called marguerite.

WIOSNA, ACH TO TY. Wiosenne barwy tchną radością, świeżością i rozkwitającym życiem. / SPRING HAS COME. Spring colours radiate joy, freshness and new life.

OZDOBA WIELKANOCNEGO STOŁU. *Wierzba iwa, piękny krzew o gładkiej korze, ze względu na dekoracyjne bazie każdego roku trafia na wielkanocne stoły.* / EASTER TABLE DECORATION. *Goat willow, a beautiful shrub with smooth bark and pretty, decorative catkins is found on our tables every year.*

KWIAT PAPROCI. Nikt go nie widział, ale każdy chciałby znaleźć, bo według tradycji zakwita tylko raz w roku, w najdłuższą noc. W dzień promienie słońca przedostające się przez mrok gęstego boru wydobywają z dna świeżą zieleń okazałych liści paproci. / FERN FLOWER. No one has ever seen it but everyone would love to find it. According to tradition it blossoms only once a year during the longest night. In daytime, the sun penetrating the darkness of the dense forest highlights the fresh green colour of delicate, splendid fern leaves.

KOSMATA SASANKA, choć trująca, była rośliną leczniczą. Dzisiaj objęta jest całkowitą ochroną, należy bowiem do gatunków ginących. Ze względu na urodę często sadzi się ją w ogrodach.

THE HAIRY PASQUE FLOWER, although poisonous, used to be a medicinal plant. Today it is protected as a species on the verge of extinction. It is often planted in gardens for its beautiful flowers.

„KTO CHCE SPĘDZIĆ DOBRE WCZASY, NIECH W KASZUBSKIE JEDZIE LASY!" – wołają slogany reklamujące pobyt w Borach Tucholskich. Najłatwiej znaleźć w nich ciszę i spokój oraz niezliczone drogi i ścieżki znakomite dla miłośników dwóch kółek.

"FOR GOOD HOLIDAYS COME TO THE KASHUBIAN WOODS!" proclaim slogans advertising holidays in the Tuchola Forest. It is a great place for peaceful, quiet relaxation as well as for cycling along its many routes and trails.

NOSTALGICZNE WIERZBY. *Mówi się o nich, że płaczą. Ich rzędy są nieodłącznym elementem polskiego pejzażu. W łatwo próchniejących pniach powstają liczne dziuple będące domem dla wielu gatunków ptaków.* / NOSTALGIC WILLOWS. *They say that willows weep. Lines of these trees are an essential part of the Polish landscape. Their stumps contain hollows where many birds make their nests.*

DZIKIE POLE MAKÓW. Żyzną ziemię lubelską pokrywają łany zbóż, ale gdy pozostawić ją samą sobie – dziczeje, zmieniając się w ukwieconą łąkę, w tym przypadku pełną maków. / A FIELD OF WILD POPPIES. The fertile Lublin lands are covered with cornfields, and when left unattended they become wild. As can be seen, it can turn into a meadow of flowers like poppies.

NIETYPOWY PUNKT WIDZENIA. W lesie przeważnie spoglądamy pod nogi, by nie potknąć się o korzeń, w poszukiwaniu grzybów czy unikalnych gatunków roślin i zwierząt. Ale tam, wysoko w górze, świat jest równie pasjonujący. / UNUSUAL POINT OF VIEW. In the forest we usually look at the ground for mushrooms or plants and animals. But the world is just as fascinating higher up.

GRA ŚWIATŁA I CIENIA. *Niższe partie Tatr porastają zwarte lasy regla dolnego. Im wyżej, tym drzewa stają się rzadsze, a potem niższe, aż w końcu przechodzą w skarłowaciałą kosodrzewinę.* / PLAY OF LIGHT AND SHADOWS. *Many parts of the Tatra Mountains are covered with different types of woods depending on the elevation. The higher you go, there are smaller and fewer trees. Finally, only dwarf mountain pine remain.*

TRADYCJA

ŻYCIE W TERAŹNIEJSZOŚCI jest prawdziwą sztuką. Bo w dzisiejszym świecie stałe są tylko zmiany. Szybkie i nieuniknione. Próbując odnaleźć się w tej zaganianej i pogmatwanej rzeczywistości, szukamy stabilności, punktu zaczepienia. A ponieważ pochodzenie daje nam poczucie odrębności, odróżniające nas od innych narodów, a kultura i tradycja przywracają nam tożsamość, dlatego w dobie globalizacji coraz częściej sięgamy do korzeni, wsłuchujemy się w słowa przodków, w odgłosy naszej ziemi. Coraz mniej dziwi więc wzrost zainteresowania i powrót do wielu rodzimych tradycji, zwłaszcza świątecznych. Te przechodzące z pokolenia na pokolenie zwyczaje i obrzędy są bowiem świadectwem związku teraźniejszości z przeszłością oraz więzi łączących ludzi różnych pokoleń i różnych czasów. To im kultura polska zawdzięcza odrębność i niepowtarzalny koloryt.

***

KIEDY MYŚLĘ O POLSKIM FOLKLORZE, wyobrażam sobie sielski krajobraz wsi. Czarna ziemia, potężne stare dęby, rząd szumiących na wietrze wierzb. Przydrożne krzyże i kapliczki, drewniane kościoły, chaty i stodoły. Widzę złote łany zbóż, rolnika kroczącego po polu za swoim koniem i bociana powracającego każdego roku do swojego gniazda. W ustach czuję smak wody pitej wprost ze studni. Ale czy taka wieś jeszcze istnieje? Czy to już tylko moje wspomnienia z dzieciństwa?
Jak wszystko wkoło, wieś również zmienia się z dnia na dzień. Dawne zwyczaje ulegają przeobrażeniom, tradycyjne obrzędy znikają wyparte przez nowe. Pękają więzi rodzinne,

giną zjawiska i zabytkowe budowle. Ale to właśnie na wsi przetrwało najwięcej dawnych obyczajów, takich na co dzień i tych od święta. By przekonać się, że polska tradycja mimo dziejowych zawieruch jest wciąż żywa, wystarczy pójść do kościoła w Niedzielę Palmową, uczestniczyć w procesji podczas Bożego Ciała, rozpalić ognie w noc świętojańską, zatańczyć na prawdziwym góralskim weselu czy udać się na jedną z licznych pielgrzymek: na Jasną Górę, do Grabarki czy wraz z rybakami – łodziami po Zatoce Puckiej. Wystarczy spojrzeć na wigilijny stół. Nawet w mieście, które znacznie szybciej zapomina o obyczajach i związku człowieka z naturą, wciąż znajdziemy na nim sianko, opłatek, nakrycie dla zbłąkanego wędrowca, tradycyjne potrawy. Wystarczy podzielić się z bliskimi wielkanocnym jajkiem. Odkrywanie tych dawnych i współczesnych tradycji podczas podróży przez różne regiony naszego kraju może być niezwykle fascynujące, nie tylko dla zagranicznego gościa, ale i dla każdego Polaka.

***

SPÓJRZMY NA KASZUBÓW, którzy kiedyś niechętnie przyznawali się do rodowodu, a dziś znów ponad pół miliona osób z dumą podkreśla swoje korzenie. Mają własny język (niezrozumiały dla innych Polaków), którego uczą się w szkołach, hymn, literaturę, sztukę i stowarzyszenia. Mają obrzędy i symbole, z których bodaj najważniejszym jest tabaka, rzadko używana w innych częściach kraju. Zażywa jej każdy szanujący się Kaszub, bo... „chłop, co nie zażywa, baba się nazywa". Chętnie uczestniczą zarówno w obrzędach wywodzących się z dawnych, pogańskich obyczajów, jak „ścinanie kani" w wigilię św. Jana, jak i w uroczystościach religijnych, coraz częściej odprawianych po kaszubsku. A przecież Kaszubi nie są jedyni. „Co wieś, to inna pieśń" – głosi staropolskie przysłowie. I rzeczywiście, polska kultura ma tyle barw ile łowicka spódnica. Każdy region naszej ojczyzny odznacza się odrębnymi zwyczajami, wierzeniami i obrzędami. Ma swoją gwarę, kuchnię, architekturę i odmienny strój ludowy. Ten ostatni możemy dziś oglądać głównie przy okazji świąt kościelnych i państwowych, ale są też regiony, jak Podhale, w których przywiązanie m. in. do kierpc, góralskiego kapelusza i ciupagi przetrwało również w życiu codziennym. Różnorodność ta odzwierciedla odrębne losy historyczne poszczególnych regionów, różne warunki geograficzne, wpływy sąsiadujących z nimi krajów.

CYGAŃSKA MUZYKA W DUSZY GRA. 24 maja 1952 roku rząd Polski Ludowej nakazał obecnym w naszej kulturze od wieków Cyganom porzucenie koczowniczego trybu życia i „przejście na tory produktywnego życia osiadłego". Nie zniszczyło to jednak ani cygańskiej muzyki i ich ducha wolności, ani dumy i odrębności.

GYPSY MUSIC IN YOUR SOUL. On 24th May 1952 the Polish People's Republic government ordered the Gypsies who had been present in our culture for many centuries to abandon their nomadic life style and "commence a productive style of sedentary life". This however did not destroy Gypsy music, nor their spirit of freedom, pride and autonomy

***

NAJWIĘKSZYM FENOMENEM polskiej tradycji jest ludowa twórczość artystyczna, wciąż żywa w wielu zakątkach kraju – wizja świata mieszkańców wsi utrwalana w drewnie, na płótnie czy szkle. Jest wśród tych dzieł przepiękna sztuka stosowana: malowane meble, kute w żelazie wyroby wiejskich kowali czy gliniane naczynia. Są to przeważnie wytwory ginących już zawodów. Jest też tradycja religijna. Bo choć wielu twórców (zwłaszcza malujących na szkle) chętnie przedstawia na swych obrazach legendy o słynnym Janosiku, to nie ma wątpliwości, że religia katolicka wywarła największy wpływ na kształtowanie się tradycji naszego kraju i znajduje swoje miejsce w dziełach ludowych artystów. Rzeźbienie figur Matki Boskiej, świętych, aniołów i scen z życia Jezusa sięga przełomu XVII i XVIII wieku. A figurę Chrystusa Frasobliwego, siedzącego na kamieniu, z głową opartą na dłoni, można spotkać niemal wszędzie na rozstaju dróg. Zadumany, spokojny, dający wsparcie wędrowcom, żeby wybrali dobrą ścieżkę.
Ale prócz katolików polską tradycję budowali też prawosławni Ukraińcy i Białorusini, co roku pielgrzymujący do sanktuarium we wsi Grabarka, Tatarzy skupieni wokół meczetu w Kruszynianach i greckokatoliccy Łemkowie, po których pozostały dziś cmentarze w Bieszczadach i drewniane cerkwie w Beskidzie Niskim. A do II wojny światowej ogromny wkład mieli również Żydzi, osiedleni w Polsce jeszcze w czasach Kazimierza Wielkiego.

Wszystkie te wpływy złożyły się na jedną polską kulturę, rodzimy folklor, tak inny od niemieckiego, hiszpańskiego czy rosyjskiego. I choć na pierwszy rzut oka najlepiej widocznym przejawem polskiej tradycji jest architektura wiejska oraz strój ludowy, to jednak przede wszystkim wartości duchowe kształtują tradycję. Te zaś obecne są w zachowaniach, obyczajach i symbolach. Wędrują z ludźmi w czasie i przestrzeni i najlepiej pomagają zachować tożsamość.

NOC ŚWIĘTOJAŃSKA. Wiele obrzędów towarzyszących najkrótszej nocy w roku (jak palenie ognia) wywodzi się z dawnych świąt pogańskich.

MIDSUMMER NIGHT. Numerous rituals accompanying the shortest night in the year (such as lighting bonfires) derive from ancient pagan celebrations.

TRADITION

LIVING IN THE PRESENT DAY is by no means an easy task. In our fast-paced world inevitable changes seem to be the only permanent thing. Trying to find our place in a dynamic and tangled reality we look for stability, some point of reference. Our heritage gives us a sense of individuality which distinguishes us from other nations, while culture and tradition restore our identity. Hence, more and more often in these days of globalisation we go back to our roots, listen to the words of wisdom of our elders and the voices of our land. It is no wonder that interest in many family traditions, especially holiday-related ones, is growing and people have become eager to revive them. Handed down from generation to generation, these customs and traditions are the link between the past and the present; they reflect the bond connecting people from different epochs and generations. They give Polish culture its particular form.

When I think of Polish folklore an image of an idyllic countryside landscape immediately springs to my mind. Black soil, mighty old oaks, a row of willows whispering in the wind; roadside crosses and shrines, wooden churches, cottages and barns. In my mind's eye I can see golden cornfields, a farmer walking in a field behind his horse and a stork that comes back to the same nest every year. In my mouth I can taste the water drunk straight from a well. But does this countryside still exist? Or are those just my childhood memories?

A country changes from day to day, just like everything else. Old customs are transformed; ancient rites disappear and are replaced by new ones. Family ties break down, certain occasions become a thing of the past and historic buildings vanish. Yet the country still safeguards most of its old traditions, whether practiced everyday or during holidays.

To witness this, in spite of all the historic turmoil, that Polish traditions are still alive go to church on Palm Sunday, or take part in a Corpus Christi procession, light a bonfire on Midsummer's Night's eve, or dance at a real Highland wedding. Take part in one of the numerous traditional pilgrimages: to Jasna Góra, to Grabarka or in a boat in Puck Bay, with the fishermen. Look at a Christmas Eve supper table. Even in the city, where folk customs and the bond between Man and Nature are often vague, we still find hay in the manger, Christmas wafers, traditional dishes and an extra place set for an unexpected guest. So it is with Easter:

MALOWANA WIEŚ ZALIPIE jest cała w kwiatki. Pomalowane są chaty (w środku i na zewnątrz), obory, krzyże, studnie i wiadra, talerze i dzbanki. Najsłynniejsza jest zaś zamieniona na muzeum chałupa Felicji Curyłowej.

THE COLORFUL VILLAGE OF ZALIPIE is covered with flowers. The cottages are painted with flowers (outside and inside) as well as cowsheds, crosses, wells and buckets, plates and jugs. The peasant hut owned by Felicja Curyłowa is the most well-known one.

KOLĘDNICY Z OKOLIC PUCKA. Turoń, diabeł, kostucha z widłami – poprzebierane postacie wędrujące po wsiach w czasie Bożego Narodzenia. / CAROLLERS FROM THE PUCK AREA. A man dressed as an ox, the devil, death with pitchfork – figures wandering around villages during Christmas.

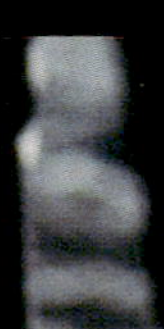

KONIK NA BIEGUNACH. Rzeźbiarz z okolic Żywca za pomocą piły i dłuta powołuje do życia kolejne tabuny drewnianych koników. Powszechne dawniej proste zabawki z drewna są dzisiaj rzadkością i prawdziwym rarytasem.

THE ROCKING HORSE. A sculptor from the Żywiec region gives shape to another army of rocking horses using a saw and chisel. Once widely popular, simple wooden toys are a rarity today.

in keeping with tradition, family and friends all around Poland exchange good wishes while sharing pieces of hard-boiled egg blessed in church the day before.
Discovering both old and new traditions while travelling through the many regions of this country can be fascinating not only for a foreign guest but for Polish people as well.

***

LET US HAVE A LOOK at the Kashubian people, who some years ago used to be rather dismissive of their heritage. Today, over half a million people boast of their Kashubian descent. They have their own language (incomprehensible to other Poles), which is taught in their schools. They also have their own anthem, literature, art and associations, as well as symbols and customs. One of those is taking snuff, a very rare habit in other parts of the country. Every real Kashubian takes snuff, because "a man who won't take snuff is no man but a sissy" as the locals say. They also participate willingly in old rituals derived from pagan customs such as 'beheading the kite' on Midsummer's Night's eve and in religious celebrations increasingly performed in the Kashubian dialect. In fact Kashubians are not the only ethnic group in Poland. And old Polish saying goes "In every village there's a different song". Indeed, Polish culture is as colourful as a striped skirt from Łowicz. Each region of our homeland is marked by different customs, beliefs and rituals. Each has its own dialect, cuisine, architecture and traditional costume. The latter we nowadays see mainly during church and public holidays but there are regions like the Podhale, where traditional Highland footwear, hats and clothes, (and alpenstocks) are worn everyday on the streets of the towns and villages. Such diversity reflects histories of various regions, a different geographical environment and the influence of neighbouring countries.

***

THE MOST INTERESTING PHENOMENON within Polish tradition is its folk arts and crafts, still encouraged in many parts of the country. The world has been given a vision of country dwellers recorded on wood, cloth or glass. Among these works of art are exquisite practical objects: decorated furniture, wrought iron items made by village smiths

or earthenware, even though most professions in these domains are on the point of 'extinction.' There are religious traditions also. Many artists (especially painters on glass) prefer to depict local legends such as the one about Janosik, the Polish Robin Hood but there is no doubt that Christianity has had the greatest impact on the development of Polish traditions and occupies a predominant position as a folk art theme. Sculpting figures of the Holy Mary, saints, angels and scenes from the life of Jesus is a tradition going back to the turn of the 17th and 18th century. The statue of Christ as the Man of Sorrows sitting on a rock, his head leaning on his hand, can be found on many country crossroads in Poland. Quietly lost in thought, He gives travellers the peace of mind they need to choose the right path.
Roman Catholics are not the only people who have contributed to the creation of Polish traditions. There are Orthodox Ukrainians and Belarussians who make the annual pilgrimage to the sanctuary in the village of Grabarka. Tartars gather around the mosque in Kruszyniany. Greek Catholic Lemkos, with their cemeteries in Bieszczady and wooden churches in the Lesser Beskid, are present in Poland. Up until the tragedy of WWII, there was the enormous cultural contribution of the Jewish community which had first settled in Poland in the days of King Kazimierz the Great.

All these influences contribute and form one Polish culture, our native folklore and customs, different from that of Germans, Spaniards or Russians. At first glance the most perceptible manifestation of Polish traditions may be its rural architecture and folk costumes; but tradition is in fact the reflection of spiritual values present in conduct, customs and symbols.
They accompany people through their lives and facilitate the safeguard of their identity.

GÓRAL GRAJĄCY NA LIGAWCE. Dawno już to było, kiedy Witkiewicz pisał o góralach: „Rasa obdarzona takimi przymiotami intelektualnymi, które jej nadają cechy genialności". Nie nam to oceniać, ale na pewno „rasa" najlepiej dbająca o swoje tradycje.

A HIGHLANDER PLAYING A 'LIGAWKA'. A long time ago Witkiewicz wrote about the Highlanders: "A race gifted with grand intellectual powers which give them features of genius". It is not for us to judge, but we are sure that this 'race' knows how to safeguard its traditions.

OZDOBY Z WIÓREK OSIKOWYCH. *Wystarczy pomalować i powyginać w fantazyjne kształty, a z bezużytecznych resztek zmieniają się w tradycję ludową.* / DECORATIONS ON ASPEN SHAVINGS. *Paint it, bend it into different shapes and these shavings become traditional folk decorations.*

WIELKANOCNE PISANKI wykonuje się w Polsce na wiele sposobów. Jednym z nich są kurpiowskie oklejanki.

PAINTED EASTER EGGS are made in Poland in various ways. The Kurpie people have their own – 'oklejanki'.

TRADYCJA OD ŚWIĘTA. Ludowe stroje wkłada się już tylko od święta, na procesje czy przedstawienia. Dla dorosłych to powrót do korzeni, dla dzieci (jak tych dziewczynek w strojach krakowsko-bronowickich) – zabawa.

FESTIVE TRADITION. Traditional costumes are worn only during holidays, in procession or for performances. For adults it is a return to their roots, the younger people as in these Cracow-Bronowice costumes think of it as fun.

DROGA KRZYŻOWA. W wielu kalwariach rozrzuconych po całym kraju w czasie Wielkiego Tygodnia odbywają się inscenizacje sądu i ukrzyżowania Chrystusa. Najsłynniejsza ma miejsce w Kalwarii Zebrzydowskiej. / *THE WAY OF THE CROSS. Many towns across the country have Kalwaria (Ways of the Cross) and re-enact the judgment and crucifixion of Christ during Holy Week. The most important Way is in Kalwaria Zebrzydowska.*

GÓRALE POSZLI Z DUCHEM CZASÓW, powsiadali do aut, pobudowali pensjonaty, ze zbójników zrobili się dyrektorami i biznesmenami, jak dawniej łasymi na dudki. Ale to właśnie w górach najlepiej zachowały się dawne tradycje, choćby te związane ze ślubami i weselami.

HIGHLANDER PEOPLE HAVE CAUGHT UP WITH PROGRESS, bought cars, built hotels; from robbing they took to management and business, as always involved with money. The old traditions are still preserved in the mountains – as those connected with marriage.

POLSCY SOKOLNICY w XVI i XVII wieku zasłynęli w całej Europie. Sokolnictwo było tak silnie kojarzone z polskością, że w czasie zaborów w ramach walki z polskim narodem zabroniono polowań z ptakami.

POLISH FALCONERS in the 16th and 17th century were famous throughout Europe. Falconry was so strongly associated with Poland that during the period of the Partitions, in order to suppress the Polish nation, hunting with birds was banned by the occupants.

ŻYWY SKANSEN. *Koń na polskiej wsi ciągle używany jest do pracy na poletkach, zwłaszcza górskich, na które niełatwo dotrzeć maszyną. Cudzoziemcom przemierzającym nasz kraj wydaje się przez to czasem, że przebywają w wielkim skansenie.* / AN ETHNOGRAPHIC TREAT. *In some Polish villages horses are still used in the fields, especially in the mountains which are not easily accessible to machines. Visitors to our coun[illegible] think that they [illegible] discovered [illegible] large [illegible] museum.*

CHRYSTUS FRASOBLIWY, CHRYSTUS UKRZYŻOWANY to najczęściej powtarzający się motyw rzeźby ludowej. Religia miała i wciąż ma największy wpływ na twórczość artystów na wsi. / CHRIST AS THE MAN OF SORROWS, CHRIST THE CRUCIFIED are the most frequently recurring themes in folk sculpture. Religion has had a great influence on folk art.

WYPAS OWIEC W BESKIDZIE NISKIM. Raz do roku baca zbiera owce od okolicznych gazdów i rusza wraz z pomocnikami, juhasami, na hale. Tam je wypasają, doją, strzygą oraz wędzą oscypki. Do domów wracają w październiku. / SHEEP GRAZING IN THE LESSER BESKIDS. Once a year the head shepherd collects sheep from local farmers and sets off to the mountain pastures with other shepherds to help him. There the sheep graze, the shepherds milk and shear them and smoke 'oscypek' cheese. They all return home in October.

GRUNWALD, ROK 1410. *Na pamiątkę wielkiego zwycięstwa sprzed wieków każdego roku na polach Grunwaldu zbierają się dwie potężne armie, z wielkim mistrzem zakonu krzyżackiego Ulrichem von Jungingenem oraz królem Polski Władysławem Jagiełło na czele.*
GRUNWALD, THE YEAR 1410. *Each year to commemorate this great victory of many centuries ago two mighty armies meet: one led by the great master of the Teutonic Order and the other by Władysław Jagiełło, King of Poland.*

KRAJ WIELU RELIGII I NARODÓW. W Polsce liczne są nie tylko katolickie kościoły, ale także cerkwie, meczety i synagogi. W nich wierni od wieków kultywują te same tradycje.

A COUNTRY OF MANY RELIGIONS AND PEOPLE. Poland contains not only many Catholic churches but also Orthodox churches, mosques and synagogues. The faithful have been true to their beliefs for many ages.

WALCZĄCY Z WIATRAKAMI. Budowa i naprawa wiatraków to zajęcia odchodzące w niepamięć. Bo choć na północy i wschodzie kraju wiatraki są częstym elementem krajobrazu, to niewiele jest jeszcze czynnych. Pozostałe są już tylko wspomnieniem lub zabytkiem.

TILTING AT WINDMILLS. Construction and the repair of windmills are professions which are becoming a thing of the past. Although there are many windmills in the north and east, few are still working. The remaining ones serve as memorials to the past or a place to visit.

GÓRALE Z BUKOWINY TAŃCZĄ ZBÓJNICKIEGO. Nieodłącznym atrybutem każdego pełnowartościowego górala jest ciupaga. Dawniej była narzędziem pasterskim. Dziś służy w tańcu i ku ozdobie. Jest też najczęściej kupowaną turystyczną pamiątką.
HIGHLANDERS FROM BUKOWINA PERFORM THE ZBÓJNICKI DANCE. An alpenstock is a necessary implement for each Highlander. It used to be a shepherd's tool. Today it is used in dances and as an ornament and is the most frequently bought tourist souvenir.

MAZOWSZE OD KUCHNI. Słynny, nie tylko w Polsce, ale i na całym świecie, zespół ludowy Mazowsze.

MAZOWSZE DISCOVERED. Poland's world renowned 'Mazowsze' folk ensemble.

GÓRALE TO BARDZO WESOŁY I PRZYWIĄZANY DO TRADYCJI NARÓD. Najbardziej ze wszystkiego lubią popić i zabawić się. W czasie karnawału organizują wyścigi kumoterek.

HIGHLANDERS ARE A MERRY AND TRADITIONAL PEOPLE. Their favourite entertainment is drinking and enjoying themselves. During the carnival they organise sleigh races.

Z POKOLENIA NA POKOLENIE. Dziadek przekazuje wnukowi góralskie tradycje.

GENERATIONS. A grandfather hands down some Highlander knowledge to his grandson.

MÓWIĄ O NICH DIABŁY. Węglarze. Twarze czarne, zęby białe, oczy… pełne powagi. I choć to prości ludzie, z ich oczu wyziera głęboka mądrość życiowa. W bieszczadzkich retortach wypalają węgiel drzewny, na grilla dla miastowych. / THEY CALL THEM DEVILS. Charcoal burners. Black faces, white teeth, serious eyes. They may be simple folk but their eyes show their deep wisdom of life. They burn charcoal in Bieszczady villages – for people from the cities for their bbq's.

RZEKA ŻYCIA. Wciąż jeszcze istnieją takie miejsca, gdzie życie ludzi toczy się zgodnie z rytmem natury. Nad Biebrzą losy wszystkich stworzeń uzależnione są od wiosennych wylewów rzeki. / THE RIVER OF LIFE. There are still places where people lead their lives according to the rhythm of Nature. On the Biebrza River life for all depends on the spring overflow.

BOŻONARODZENIOWE KOLĘDOWANIE. *Św. Józef, Maria Panna, Anioł i Diabeł wędrują po wsiach w okresie Bożego Narodzenia. Kolędowanie i jasełka są na wsi wciąż żywą tradycją, przechodzącą z pokolenia na pokolenie.* / CHRISTMAS CAROLS. *St. Joseph, the Holy Mary and the Devil wander around villages during Christmas. Carol singing and nativity plays are still traditions handed down from generation to generation.*

PRZYSTAŃ RYBACKA. *Kawałek plaży, kilka łodzi do połowy wyciągniętych na piasek i trzy rzędy szop na nabrzeżu. Wszystko przesycone wilgocią, stęchlizną i zapachem ryb. Dziś rybacy coraz częściej zamiast łowić ryby, wolą wozić turystów.* / FISHING HARBOUR. *A strip of beach, a few fishing boats resting on the sand and three rows of shacks on the pier. Humid air with a smell of fish. Today fishermen prefer taking tourists out on fishing trips.*

BIEBRZAŃSKIE SIANOKOSY. Mieszkańców doliny Biebrzy dzieli się na dwie kategorie: biebrznięci i miejscowi. Ci pierwsi przybywają z różnych stron Polski i świata, zachwycają się i zostają, żeby odpocząć od całego świata. Drudzy ciężko pracują, by przetrwać. / THE BIEBRZA HAY HARVEST. Inhabitants of the Biebrza valley divide themselves into two categories: the enthusiast of the region and the locals. The first come from all over Poland, and the world, enthuse about the place and stay to escape from the modern world. The locals work hard to get by.

MŁODZI CYMBALIŚCI. Wiele tradycji przetrwało dzięki zespołom ludowym, dla których muzyka, śpiew i tańce to forma spędzania wolnego czasu, podtrzymywania tradycji, a czasem nawet możliwość zarobku. / YOUNG DULCIMER PLAYERS. Many traditions have survived the years because of folk ensembles where music, song and dance are a form of free time, safeguarding tradition and, sometimes, a chance to earn a little money.

POLSKA KUCHNIA

„GOŚĆ W DOM, BÓG W DOM" – mówi polskie przysłowie. I nie jest to puste gadanie, co wie każdy, kto choć raz usiadł z polską rodziną do stołu. Nasza gościnność znana jest powszechnie. I choć czasem uważa się, że słynne „zastaw się, a postaw się" wynika z wrodzonej dumy i chęci imponowania innym, to jednak częściej przeważa przekonanie, że ma swe źródło w otwartości polskich serc, szczerości i hojności. Nie ulega wątpliwości, że żaden gość z prawdziwego polskiego domu nigdy nie wyjdzie głodny.

***

BIESIADY I UCZTY od wieków towarzyszyły wszystkim ważniejszym wydarzeniom, zarówno rodzinnym, jak i historycznym. A suto zastawiony stół odzwierciedlał bogactwo domu i poziom życia jego mieszkańców. Kuchnia książąt i królów różniła się od kulinarnych zwyczajów stanów niższych przede wszystkim obfitością mięs i dziczyzny, pod którymi pańskie stoły wprost się uginały. Cudzoziemców zawsze zadziwiała też niezwykle bogata oprawa polskich uczt.
Wiele z tej tradycji zostało do dzisiaj. Każde święto (zwłaszcza Boże Narodzenie i Wielkanoc) jest okazją do przygotowania takiej prawdziwej polskiej biesiady. Zmieniły się tylko niektóre zwyczaje. O tych dawnych pisał Władysław Łoziński w „Życiu polskim w dawnych wiekach". Podobno w XVII wieku „przed każdym gościem kładziono talerz z małą serwetką przykrywającą chleb i łyżkę. Noży i widelców nie dawano; każdy gość nosił je ze sobą".
W domach szlacheckich nie podawano nawet łyżek, każdy nosił ją za pasem.
Powszechnie uważa się, że polska kuchnia narodowa ostatecznie ukształtowała się w XIX wieku,

łącząc tradycje staropolskie i wpływy włoskie, francuskie, niemieckie, ruskie, litewskie, a także nieco bardziej egzotyczne: tatarskie, ormiańskie, kozackie czy węgierskie. Dlatego znajdziemy w niej i wyszukaną elegancję znad Sekwany, i krwistego tatara reklamowanego jako mięso wkładane przez groźnych mongolskich wojowników pod końskie siodło – w rzeczywistości zaś potrawę pochodzącą prawdopodobnie z Ameryki Południowej.
Jednak wiele współczesnych potraw uważanych za typowo polskie znanych było znacznie wcześniej. Jak choćby żur – zupa na zakwasie mąki żytniej z dodatkiem skórki razowego chleba czy piwo, którym razem z miodami pitnymi zakrapiano uczty już w czasach piastowskich. Bo to nie wódka, jak się powszechnie uważa, lecz piwo, które w dzisiejszej Polsce przeżywa prawdziwy renesans, było naszym narodowym napojem od zarania dziejów. Przywiązanie polskich możnowładców do niego było ogromne. Podobno Leszek Biały odmówił papieżowi udziału w wyprawie krzyżowej do Ziemi Świętej, pisząc, że „nie zwykł pijać ani wina, ani zwykłej wody, przyzwyczajony jedynie do gustowania w piwie lub miodzie".
Dopiero podczas słynnych „obiadów czwartkowych", urządzanych przez króla Stanisława Augusta Poniatowskiego w XVIII wieku, wino i woda na dobre zagościły na polskich stołach. Doskonałe wędliny wyrabiano już w XIV stuleciu. W dawnych wiekach Polska słynęła też z obfitości ryb i sposobów ich przyrządzania. Trudno się zresztą dziwić, skoro według ówczesnych obyczajów poszczono przez 200 dni w roku... Karp od wieków zajmował wyjątkowe miejsce w polskiej kuchni. A dzisiejsza specjalność nadmorskich kurortów – ryby wędzone – znana była co najmniej od początków średniowiecza. Na bogatych stołach królowały kaczki i bażanty, a raki z czystych rzek były naonczas tak powszechne, jak dzisiaj owoce morze w krajach śródziemnomorskich.

50 lat komunizmu dokonało ogromnego spustoszenia w naszych kulinarnych przyzwyczajeniach. Próba tworzenia nowej rzeczywistości i „nowego człowieka" oznaczała walkę z tradycją, także tą gastronomiczną. Przedwojenne szynki szybko upadały, a w ich miejsce powstawały bary mleczne i inne przybytki wątpliwej jakości, w których lansowano nową polską kuchnię, opartą na schabowym z kapustą i ziemniakami oraz mielonym z buraczkami.
Ale prawdziwa polska kuchnia przetrwała nawet tę próbę. W naszych domach, szczególnie tych wielopokoleniowych, w obchodach świąt, na kartach starych książek kucharskich, w archiwalnych dokumentach. Współcześni Polacy na nowo odkrywają swoje dobro narodowe.

SAMO ZDROWIE. Największym atutem polskiej kuchni jest naturalność produktów, z których powstają wyśmienite potrawy.

PLAIN AND HEALTHY Natural products from which delicious meals are prepared are the important ingredients of Polish cuisine.

POLSKA SŁYNIE z najwyższej jakości kiełbas.
POLAND IS FAMOUS FOR the production of high quality sausages.

I choć coraz częściej w kuchni używa się półproduktów, ciągle jest wiele domów (zwłaszcza w małych miastach i na prowincji), w których majonez jest z jajek, a nie ze sklepu, chleb z pieca, a nie supermarketu, a wyśmienite konfitury, ciasta czy wędliny – tylko własnej roboty. Szczęśliwie, aby spróbować tradycyjnego polskiego jedzenia, nie trzeba koniecznie być zaproszonym do polskiego domu. Po latach stagnacji prawdziwy boom przeżywa w Polsce rynek restauracyjny, coraz chętniej sięgający po staropolskie receptury. Tradycyjna, domowa kuchnia to też jeden z głównych atutów rozwijającej się agroturystyki.

***

LEŻĄCE NAD MORZEM REGIONY PÓŁNOCNE, pełne czystych rzek i jezior, wyspecjalizowały się w daniach z ryb. Kaszubi przyrządzają je na tysiąc sposobów, wyczarowując znakomite i zdrowe potrawy, od najprostszej jajecznicy na węgorzu, po wyszukane leszcze w galarecie. Prawdziwa ryba przyrządzona po kaszubsku powinna mieć łeb i ogon. W końcu „ryba to ma być ryba, a nie jaki filet!". Zwłaszcza zupy z ryb morskich i słodkowodnych nie mają sobie równych. Ze wschodnich rubieży pochodzą tak lubiane przez cudzoziemców pierogi. Mogą być z mięsem, owocami leśnymi, serem. Mają też swoje znakomite odmiany, choćby tradycyjne wigilijne uszka z kapustą i suszonymi grzybami podawane z klarownym barszczem albo kołduny, z dodatkiem baraniego łoju, idealnie pasujące do gorącego rosołu. Piaszczyste Mazowsze zasłynęło żurkiem, zupą prostą tak jak równinny krajobraz regionu. Z dodatkiem chrzanu, śmietany, czosnku, grzybów, jaj na twardo i białej kiełbasy. Choć to zupa znana również w pozostałych rejonach kraju. Przepisów na nią jest co najmniej tyle, ile krain, a nawet polskich rodzin. Kaczka z jabłkami króluje w Wielkopolsce. Podhale kwaśnicą i oscypkiem (wędzonym owczym serem) stoi. Ten ostatni stał się nawet kulinarną wizytówką kraju. Suwalszczyzna zaś szczyci się bogactwem potraw z ziemniaków, a wszędzie znane są kiszone ogórki i takaż kapusta, marynowane i suszone grzyby czy zsiadłe mleko – składniki egzotyczne dla cudzoziemca. Grzechem byłoby nie wspomnieć o znanych już w całej Europie polskich wędlinach, chlebie czy bigosie, a także o doskonałej jakości wódce, której mnogość gatunków, kolorów, smaków i aromatów każdego przyprawi o zawrót głowy. Największym atutem jest zaś ich naturalne pochodzenie. Niezanieczyszczona środkami chemicznymi polska ziemia rodzi ekologiczne warzywa i owoce. Czysty las, jeziora, a ostatnio

POLSKIE SPECJAŁY. Wiejski chleb i wędliny domowego wyrobu nie mają sobie równych na całym świecie.
POLISH SPECIALTIES. Real farm bread and home smoked cold meats cannot be matched in the entire world.

również rzeki dostarczają ryb, raków, grzybów, jagód i dziczyzny, co pozwala wskrzeszać i kultywować niezwykle bogate tradycje kulinarne.
Każdy posiłek kończy się ciastem, do którego dumą jest podać kieliszek domowej nalewki: wiśniówki, orzechówki czy pieprzówki. Nasz kraj słynie z niezliczonych ilości wypieków: pierników, serników, bab, strucli, ciast kruchych z owocami, tortów, faworków (chrustu) czy pączków. Są nieodłącznym elementem każdego świątecznego stołu. Boże Narodzenie nie może się obyć bez makowca, a Wielkanoc bez mazurka. Trzeba też wymienić kremówkę, od 1999 roku dumnie nazywaną „papieską". Nie ma bowiem chyba drugiego smakołyku na świecie, który zyskałby tak wielką sławę po wypowiedzeniu zaledwie jednego zdania przez Jana Pawła II, który z nostalgią wspominał rodzinne miasteczko, Wadowice, i wyroby tamtejszej cukierni. Podróż po Polsce może być fascynującą kulinarną wyprawą. A więc w drogę i... smacznego!

POLISH CUISINE

THERE IS AN OLD POLISH SAYING that goes "When a guest is in the house, God Himself is in the house." This is not an idle platitude; ask anyone who has ever been invited to a meal with a Polish family. We are famous the world over for our hospitality. And although it is sometimes believed that the legendary Polish manner of spending more than you can afford just to welcome your guests properly is the result of innate pride and the need to impress others, more often than not it is thought that in truth it is the reflection of the open, honest and generous hearts of Poles. However, there is no doubt that a guest in a genuine Polish home never leaves hungry.

***

BANQUETS AND FEASTS have always been a form of celebration of important events, both historical and private. A table laden with food and drink is a reflection of the wealth of the house and its owner's standard of living. The cuisine enjoyed by dukes and kings differed from that of the lower classes mostly by the abundance of meat and game dishes which made the

PRAWDZIWE GÓRALSKIE OSCYPKI to produkt regionalny, niepodobny do żadnego innego sera na świecie. Wyrabia się go tradycyjnymi metodami z mleka owczego.

HIGHLAND 'OSCYPEK' is a regional product; it tastes as no other cheese in the world. It is made in a traditional way from sheep's milk.

KLUSKI ŚLĄSKIE, wbrew nazwie, jada się w całym kraju. Okraszone skwarkami, polane sosem grzybowym lub tylko masłem, podaje się jako dodatek do pieczeni czy gulaszu.

SILESIAN NOODLES (KLUSKI ŚLĄSKIE), contrary to their name, are a popular dish all over the country. Seasoned with bits of pork or mushroom sauce, or just butter, they are served with roast meat or stew.

aristocratic tables groan under their weight. Foreign guests were often amazed by the rich setting accompanying a typical Polish feast. Many traditions from those days have survived. Every holiday (especially Christmas and Easter) is an occasion for preparation of a genuine Polish banquet. Some customs have naturally undergone changes. The older ones were described by Władysław Łoziński in the book, 'Life in Poland in Old Times.' Reportedly, in the 17th century "in front of each guest a plate was placed; on the plate there was bread and a spoon covered with a small napkin. Knives and forks were not provided as every guest had their own." In houses of the gentry even spoons were not offered because everyone had one fastened to their belt.

It is a common belief that Polish cuisine took its final form in the 19th century combining old Polish culinary customs with Italian, French, German, Russian, Lithuanian influences and also with the more exotic Tartar, Armenian, Cossack and Hungarian traditions. Hence, you will find Parisian elegance next to steak tartar, usually described as raw meat eaten by Mongolian warriors, though in fact this particular dish probably comes from South America.

Still, many contemporary dishes generally believed to be typically Polish had been known for generations. For example 'żur' – a soup made from fermented rye flour served in a wholemeal bread crust; or beer which together with mead was the drink of choice at banquets in the days of the Piast dynasty. For, in spite of popular belief, our national drink for many centuries was not vodka but beer, which in fact has recently regained its former popularity in Poland. Polish magnates displayed a great attachment for beer. It is said that Prince Leszek the White explained his refusal to join the Crusades to the Holy Land, writing to the Pope that he "is not used to drinking wine or plain water, as he has only a taste for beer and mead." Wine and water found their way to Polish tables as late as the 18th century during the famous 'Thursday dinners' conducted by King Stanisław August Poniatowski.

Excellent cured meats were made in Poland as early as the 14th century. In the past Poland was also famous for the abundance of fish to be found in the country and the ways of cooking them. And this is no wonder, since according to the customs of that time fasting was to be observed for 200 days of the year! Carp has always had a special place in Polish cuisine, while today's specialty at seaside resorts – smoked fish – has been known since the beginning of the Middle Ages. The tables of the rich were laden with duck and pheasant and crayfish from crystal clear rivers was as common in those times as seafood in Mediterranean countries today.

WBREW POWSZECHNEMU MNIEMANIU *to nie wódka, lecz piwo było od zarania dziejów naszym narodowym napojem. Stąd obfitość gatunków i metod podawania. Można pić też grzane, z sokiem lub korzeniami.* / CONTRARY TO A POPULAR MISCONCEPTION, *it was beer, not vodka that was Poland's national drink from the early days of our nation's existence. This is the reason for the many brands of beer and ways of preparing it in this country today. Beer can be served hot, with syrup or spices.*

Fifty years of communism has greatly damaged our culinary traditions. The attempt at creating a new reality and 'a new man' meant suppressing these traditions including the gastronomic ones. Restaurants from before WWII were quickly replaced by milk bars and low-quality cafeterias promoting a new style of Polish cuisine based on pork chops with sauerkraut and potatoes or meat pate with grated beetroot. Yet, in spite of all this, genuine Polish culinary tradition has survived in some of our homes, especially mixed generation ones, as a part of holiday customs, on the pages of old recipe books and historic documents. Today, contemporary Poles are rediscovering their national heritage. And although ready-made food is often increasingly used in the kitchen, there are still many homes (especially in small towns and villages) where mayonnaise is made from eggs and not bought in a shop, bread is from the oven and not a supermarket and delicious preserves, cakes or cured meats are always home-made. Fortunately, you do not necessarily have to be invited to a family dinner to experience traditional Polish food. After years of stagnation restaurants in Poland are booming and old Polish recipes are back in style. Traditional home-made cuisine is also one of the main and chief qualities of the rapidly developing 'green tourism'.

***

SITUATED BY THE SEA, the northern regions of Poland with their numerous clean rivers and lakes specialize in fish dishes. The Kashubian people of the region prepare fish in many ways creating delicious and healthy meals, from simple scrambled eggs with eel to sophisticated jellied bream. A fish cooked in a genuine Kashubian way should have a head and a tail, since "a fish is supposed to be a fish, and not some fillet or other!" Their soups made from fresh or saltwater fish are simply incomparable. From the eastern provinces comes a dish, the most popular with foreigners – 'pierogi'. You can have them with all kinds of filling:

NAJSŁYNNIEJSZA POLSKA „POTRAWA". Większość zagranicznych turystów na pytanie o polską potrawę, którą najlepiej pamiętają, zaraz po bigosie i pierogach wymieniają wódkę, zachwyceni ilością gatunków i smaków.

THE MOST FAMOUS POLISH 'MEAL'. Most foreigners say vodka right after bigos and pierogi when asked what Polish dish they remember best.

„TYLKO ŁĄCKA ŚLIWOWICA DAJE KRZEPĘ, KRASI LICA" – głosi etykieta na butelce bimbru pędzonego ze śliwek w Beskidzie Sądeckim. Choć to trunek nielegalny, miejscowi produkują własne naklejki akcyzowe, a złoty sznureczek zalakowany na butelce ma dodać mu szlachetności.
"ONLY PLUM VODKA FROM ŁĄCK WILL MAKE YOU HANDSOME AND STRONG" - written on a bottle of strong alcohol made of plums in Beskid Sądecki. Although it is an illegal drink, the locals produce their own excise labels with a golden cord sealed with wax to add to its noble character.

PIECZONY, SMAŻONY, DUSZONY. Z kminkiem, po warszawsku, faszerowany, z chrzanem czy sosem grzybowym. Schab przyrządza się na setki sposobów. W każdym regionie, a nawet w każdym domu inaczej.

ROASTED, FRIED, STEWED. With caraway, Warsaw style, stuffed, with horseradish or mushroom sauce. Pork loin is prepared in hundreds of ways. It is different in every region or perhaps even every house.

meat, forest fruits, cottage cheese. They come in more sophisticated varieties, too, like 'uszka' – a sort of ravioli stuffed with cabbage and dried mushrooms traditionally served with clear borsch on Christmas Eve or fantastic 'kołduny' – dumplings flavoured with mutton suet that go perfectly with hot broth. The sandy Masovia region is famous for its 'żur', although it is very popular all around the country. The number of 'żur' recipes in existence equals at least the number of Polish regions, or maybe even the number of Polish families. It definitely tastes wonderful when seasoned with horseradish, cream, a few cloves of garlic, mushrooms, hard-boiled eggs and sausage. The Wielkopolska (Greater Poland) region specialises in roast duck with apples. Podhale in the mountains has its 'kwaśnica' (sauerkraut soup) and 'oscypek' (smoked ewe's milk cheese). The latter has become very much the culinary mascot of the region. The Sudovia region boasts a great number of local potato dishes, while the whole country enjoys pickled dill cucumbers, sauerkraut, pickled and dried forest mushrooms or curdled milk, most of which are usually found quite exotic in taste by foreigners. It would be a sin not to mention Polish cured meats, bread or 'bigos' (a stewed dish made from sauerkraut, mushrooms and meat) and our top quality crystal clear vodka that comes in a profusion of varieties, colours and flavours.

The most positive aspect of Polish food is its origin. Unpolluted by chemicals, the Polish soil produces natural, untainted fruits and vegetables. Clean forests, lakes and the recent cleaning up of rivers, produce excellent fish and crayfish, with mushrooms, berries and wild game from the forests, which are favouring the revival and cultivation of our rich culinary traditions.

Every traditional meal ends with a cake, proudly accompanied by a glass of home-made liqueur made from cherries, walnuts or pepper-flavoured vodka. Our country is famous for its many varieties of cakes: gingerbread, cheesecakes, apple pies, yeast cakes, loaves, short crust fruit tarts, layer cakes, faworki (sweet, deep fried bread twists) or doughnuts. There is no Christmas without poppy-seed cake, no Easter without 'mazurek' (decorated short crust cake). And of course those cream puffs, which since 1999 are advertised as 'Papal Cakes', as no other pastry has ever acquired such good advertising as this one when praised by John Paul II as he nostalgically reminisced about his hometown Wadowice back in his schooldays and the sweet delicacies offered by a local patisserie.

A trip to Poland might turn into a fascinating culinary journey.

So let's be on our way... Bon appétit!

DO ŚWIĘTOWANIA KAŻDY PRETEKST JEST DOBRY. *Zakończenie żniw, zbiorów owoców czy miodobrania.*
ANY EXCUSE IS GOOD FOR A CELEBRATION. *The end of harvest, gathering fruit, or collecting honey.*

KWASZONE OGÓRKI I KAPUSTA *to potrawy niespotykane w innych rejonach świata. Ogórki kwaszone są znaną zakąską, a także dodatkiem do wędlin oraz składnikiem chłodnika i zupy ogórkowej, do której używany jest też sok z kwaszenia.* / POLISH PICKLED DILL GHERKINS AND SAUERKRAUT *are little known in other regions of Europe. They are a popular snack and a good accompaniment to cold smoked meats; they are also ingredients for cold vegetable soup and cucumber soup where the sour juice left after fermentation is used.*

MIASTA

DZIEJE NAJSTARSZYCH POLSKICH MIAST są znacznie dłuższe od historii państwa. Nie wiadomo dokładnie, które jest najstarsze. Wiadomo natomiast, że Calisia ma najstarszą, potwierdzoną źródłami pisanymi metrykę.
Pisał o niej geograf Klaudiusz Ptolemeusz żyjący w II wieku naszej ery. Miasto to umieścił też na sporządzonej przez siebie mapie. Badania archeologiczne jednoznacznie potwierdziły, że Calisia to współczesny Kalisz. Gród powstał na szlaku bursztynowym. Zresztą historia większości polskich miast to niemal jednocześnie historia szlaków kupieckich, zapis przepływu towarów i usług.
Powstawały z woli królów, książąt albo z fortuny magnatów. Za panowania Piastów świetnie rozwijały się miasta Dolnego Śląska, jak choćby Paczków. Po przeniesieniu stolicy do Krakowa, dołączyły do nich małopolskie osady, rozbudowywane lub wskrzeszane przez Kazimierza Wielkiego. Zresztą dzięki adaptacji lokacyjnego prawa niemieckiego cały XIII i XIV wiek oznaczał dynamiczny rozwój polskich miast. W późniejszych wiekach, gdy stan szlachecki kosztem mieszczańskiego uzyskał dla siebie znaczne przywileje, największe urbanistyczne dzieła były zasługami niewyobrażalnie bogatej magnaterii. Wiele miast lokowano z inicjatywy prywatnej, czasem na surowym korzeniu. Bodaj najbardziej okazały z nich był Zamość, powstały w 1580 roku na życzenie Jana Zamojskiego, kanclerza wielkiego koronnego. Żadne inne miasto tego typu nigdy mu nie dorównało, ani Leszno Leszczyńskich, ani Tarnów Tarnowskich czy Szydłowiec Szydłowieckich.
Wiele z nich trwało w swym dostojeństwie nie dłużej niż kaprys hojnego fundatora.
Choć porwane przez dziejowe zawieruchy, rozbłysły i zgasły, miały jednak swoją wielką chwilę

w historii. Pozostawiły po sobie dyskretne ślady ówczesnej świetności. Kamienice wokół rynków, dostojne ratusze, okazałe świątynie, imponujące mury – kiedy zaskoczeni przepychem odkrywamy w prowincjonalnych mieścinach te architektoniczne perełki, świadków przeszłości, budzą się w nas refleksje o zmienności fortuny. Jedno z najbardziej uroczych polskich miasteczek, Kazimierz Dolny, egzystencję zawdzięcza Wiśle, którą transportowano towary do Gdańska, a stamtąd dalej do Europy. Kiedy jednak szlak rzeczny stracił na znaczeniu, skończyła się świetność miasta. Dzisiaj przypominają o niej ogromne spichlerze i okazałe kamienice bogatych kupców. Biecz i Przemyśl, obecnie nieco zapomniane perły południowo-wschodniej Polski, wyrosły na handlu ze Wschodem. Lublin, dzisiaj leżący nieco na uboczu historii, był w 1569 roku gospodarzem niezwykle doniosłego aktu zawarcia Unii Lubelskiej tworzącej Rzeczpospolitą Obojga Narodów, z połączenia Korony i Wielkiego Księstwa Litewskiego. Ponad tysiąc lat temu niewielkie Gniezno było zaś świadkiem kształtowania się nowego ładu w Europie.

***

AlE SĄ TEŻ W POLSCE MIASTA trwające w swej świetności od wielu wieków. Mimo upływu lat i zmiennych kolei losu zachwycają urodą i bogactwem zabytków. Wśród nich są portowy i kupiecki Gdańsk, dumnie spoglądający z nabrzeża w przeszłość i przyszłość równocześnie, czy Poznań – wytrwale opierający się germanizacji w dobie zaborów, a dziś miejsce, w którym spotykają się biznesmeni z całego świata. Niewielki Toruń wydał na świat Mikołaja Kopernika, największego astronoma, i najsmaczniejsze pierniki. Miasto, w którym niebywała bliskość zabytków i niemal namacalna obecność historii zachwyca każdego dnia tysiące przybyszów. Miejsce, które chociaż czerpie z przeszłości niemałe korzyści, żyje współczesnym rytmem i kwitnie jako uniwersyteckie miasteczko.

MAGICZNE MIASTO GDAŃSK. Przez Długi Targ, gotyckie bramy wodne i Długie Pobrzeże nieustannie płynie rzeka przechodniów.

GDAŃSK - THE MAGIC CITY. A constant stream of people flows along Długi Targ (Long Market Street) past Gothic gates and along the Long Quay.

KRÓL MÓRZ I OCEANÓW. Kiedy polscy marynarze wracali szczęśliwie z morza, dziękowali Neptunowi, że ocalił ich od sztormów. Posąg króla mórz stoi w Gdańsku na Długim Targu.

THE GOD OF SEAS AND OCEANS. Safely returned from the sea Polish sailors would thank Neptune for saving them from the perils of the seas. His statue stands in Gdańsk, on Długi Targ.

Wreszcie królewski Kraków, z niezwykłym wprost *genius loci*, magiczny, emanujący energią (nie tylko ze świętego kamienia, jednego z siedmiu czakramów Ziemi, znajdującego się na Wawelskim Wzgórzu), do którego ciągną tłumy z całego świata, by doświadczyć tego szczególnego nastroju i stanąć choć na chwilę na największym europejskim rynku, w jednym z najpiękniejszych miast Europy.

Nie można też zapomnieć o nieujarzmionej, bohaterskiej Warszawie. Jej historia sięga XIII wieku, ale największy wpływ na jej kształt i mentalność miał wiek XX. Wtedy to musiała niczym feniks z popiołów podźwignąć się z kompletnej powojennej ruiny. Zwiedzanie stolicy powinno się zaczynać od tablicy informacyjnej umieszczonej przy rynku Starego Miasta, u zbiegu ulic Świętojańskiej i Zapiecek. Wisi tam czarno-białe zdjęcie z 1945 roku, a na nim zgliszcza, zwały gruzu, ziemi i ludzkiego nieszczęścia. Czasy drugiej wojny światowej i niewyobrażalnej hekatomby powstania warszawskiego przetrwały tylko piwnice. Tak wyglądało miasto zaledwie pół wieku temu! A dzisiaj, mimo 50 lat komunistycznej degrengolady, które nastąpiły po wojennych zniszczeniach, znów tętni życiem, ścigając się ku niebu kolejnymi strzelistymi drapaczami chmur. Próbuje nadrobić czas i dogonić historię.

Na koniec Wrocław. Dlaczego na koniec? Bo nie ma drugiego takiego miasta w Polsce, a może nawet i na całym świecie, na którym z powodzeniem przeprowadzono by tak niezwykły eksperyment. Miasto, któremu przeszło 60 lat temu przeszczepiono tożsamość. I to nie tylko architektoniczną. – Pan z Wrocławia? Ja też ze Lwowa – krąży krótki dowcip o wrocławianach. Jak to zwięźle ujął Garton Ash, „polskie miasto Lwów przeniesiono do niemieckiego Breslau, przekształcając je we Wrocław". Posunięcie tyleż genialne, ile perfidne, bo za jednym zamachem Stalin załatwił trzy sprawy: zniszczył Rzeszę, związał Polskę z Rosją i stworzył nowe zarzewie waśni między Niemcami a Polakami.

Dzisiaj już wiadomo, że ta swoista transfuzja przetrwała próbę czasu, a rzeka ludzi o miękkiej wschodniej wymowie na trwałe wpisała się w panoramę miasta.

Miasta – zabytki, miasta – świadkowie historii. Zmieniające się wraz z modami, stylami i gospodarczymi przekształceniami. Nie każde ma na podorędziu ołtarz Wita Stwosza, którym może zachwycać przybyszów. Ale czasem wystarczy jakiś pałac, kilka starych kamienic czy po prostu niepowtarzalny klimat, by chwycić za serce i już nie puścić.

Podróż po Polsce będzie pełna podobnych intymnych spotkań.

TOWNS AND CITIES

THE HISTORY OF THE OLDEST POLISH TOWNS is much more ancient than that of the state itself. It is not quite clear which towns were established first. However, it is known that Calisia has been recorded as the oldest, which has been confirmed by written archive sources. It was described by geographer Claudius Ptolemy, who lived in the 2nd century AD. Archaeological research has definitely confirmed that Calisia is the same town we know today as Kalisz and the settlement was built on the amber trade route. As a matter of fact, the history of most Polish towns and cities is closely related to the history of trade routes, reflecting the ancient custom of the exchange of goods and services. Towns were created by the order of kings and princes or by rich merchants. The reign of the Piast dynasty saw the rapid growth of towns like Paczków in Lower Silesia. When the capital city was moved to Krakow the settlements of Małopolska, developed or revived by King Kazimierz the Great, followed the example. As a result of the adoption of Germanic foundation laws, the 13th and 14th centuries were marked by the dynamic development of Polish towns. In later ages, after the gentry had gained considerable privileges at the expense of the bourgeoisie, the credit for the greatest examples of urban architecture went to the incredibly wealthy aristocracy. Some towns were founded as a private enterprise, a few of them were created from nothing; the most magnificent of these was Zamość, created in 1580 by Jan Zamojski, the Greater Crown Chancellor. No other town with such an origin has ever matched its splendour.

Many of these towns retained their stately status only as long as the generosity of the founders lasted. Although destroyed in the turmoil of history, with their blaze of glory long extinguished, they had their grand moments and some traces of this past greatness can still be found.

GOTYK NA DOTYK. Toruń, miasto największego astronoma – Kopernika – i najsmaczniejszych pierników szczyci się również najwspanialszą gotycką architekturą.

A TOUCH OF GOTHIC. Toruń, city of the astronomer Copernicus and of delightful gingerbread, can boast of its magnificent Gothic architecture.

JAK FENIKS Z POPIOŁÓW. Choć historia warszawskiej Starówki sięga XIII wieku, zarzuca się jej, że dzisiaj jest tylko wybudowaną po II wojnie światowej atrapą przeszłości. Ale jak doskonałą! / LIKE A PHOENIX FROM THE ASHES. Although the history of Warsaw Old Town reaches the 13th century, it has been entirely rebuilt after World War II. But look how perfect it is!

Merchant houses on market squares, magnificent town halls, grand temples of worship, impressive walls are a testament of the past. Coming upon these unexpected witnesses of the past in small provincial towns these architectural gems makes one think of how fickle fortune really is. One of the most charming Polish towns, Kazimierz Dolny, owes its existence to the Vistula River which used to serve as a route to transport goods to Gdańsk, from where they were shipped all round Europe. After the river lost its commercial significance the town's glory started to fade. Today we are reminded of its history by the huge granaries and grand facades that used to belong to those rich merchants. Biecz and Przemyśl, nowadays rather forgotten places, have their roots in trade with the East. Lublin, today on the sidelines of history, in 1569 hosted an extremely momentous event: the signing of the Union of Lublin uniting the Kingdom of Poland and the Grand Duchy of Lithuania into a single state, the Polish-Lithuanian Commonwealth. And over a thousand years ago the small town of Gniezno witnessed the creation of a new order in Europe.

***

THERE ARE POLISH CITIES that have managed to preserve their glory intact for many ages. In spite of the passing centuries and changing fortunes they still astonish visitors with their beauty and historical treasures. Gdańsk, with its port and long mercantile tradition, proudly looking to the past and the future; Poznań, which persistently resisted its Germanisation during the period of the Partitions of Poland has now become a meeting place for international business. The small city of Toruń, where the great astronomer Nicolaus Copernicus was born and the most delicious gingerbread is baked, a city charming thousands of visitors every day with the variety of its monuments and tangible historical presence. Toruń benefits from its past considerably, yet at the same time lives in the present, as a flourishing university town.
Finally Cracow with its extraordinary *genius loci*; a magical city, vibrant with energy attracting crowds of tourists from all over the world who have come to visit the biggest market square in Europe in one of the most beautiful cities on the continent.
Let us not forget indomitable, heroic Warsaw. Its history goes back to the 13th century but it was the 20th century that had the greatest influence on the character of the city; the age that saw the city rise like a phoenix from the ashes, rebuilt from complete destruction after WWII.

ZACZAROWANA DOROŻKA. Krakowskie dorożki rozsławił poeta Konstanty Ildefons Gałczyński. Ale i bez jego wstawiennictwa każdy przybysz przyzna, że przejażdżka po Starym Mieście pojazdem zaprzężonym w parę koni to niezapomniane przeżycie.

THE MAGIC 'HACKNEY CAB'. Cracow cabs were extolled by the Polish poet Konstanty Ildefons Gałczyński. But even without his enthusiasm, every newcomer must admit that a ride around the Old Town in a horse drawn carriage is an unforgettable experience.

A sight-seeing trip to the capital of Poland should start with the plaque placed near the Old Town Market Square on the corner of Świętojańska and Zapiecek streets. It shows a black-and-white photograph from 1945 of the ruins, the heaps of rubble, the human misery on that day. Only basements survived the bombings of the war and the unimaginable hecatomb of the Warsaw Uprising. This is what the city looked like half a century ago! And today, in spite of the 50 years of communist moral decay that followed the war, Warsaw is vibrant with life again, reaching up to the sky with more and more soaring skyscrapers. Last but not least, Wrocław. There is no other city in Poland or perhaps the world where this unique experiment could have been so successful. Over sixty years ago Wrocław received a thoroughly new identity and not only architecturally. There is a short but very accurate saying concerning Wrocław citizens that sums it up best: "So, you're from Wrocław? I'm from Lwow too." As Garton Ash said, "the Polish town of Lwow was moved to German Breslau, thus transforming it into Wrocław." The move was as ingenious as it was cunning, for in this way Stalin took care of three things at once: he destroyed the German Reich, bound Poland to Russia and created a new hotbed of conflict between Germans and Poles. Today we know that this transfusion has stood the test of time and many of the city's population, those with a softer eastern pronunciation, have become an integral part of the population and probably with some supportive symbols from Lwow also relocated to Wrocław: the Racławice Panorama painting and the statue of playwright Aleksander Fredro.

Towns and cities are monuments, witnesses of past centuries. They change with the style and fashion of the day, are subject to economic factors. Not every city has a Wit Stwosz Altar to impress visitors with but sometimes a palace, a few ancient merchant houses or a simple, unique atmosphere is enough to pull at one's heartstrings. A journey across Poland is the promise of many of these special encounters.

WZGÓRZE WAWELSKIE to bez wątpienia najbardziej turystyczne miejsce w Polsce i największa skarbnica narodowych pamiątek.

WAWEL HILL contains the largest collection of objects from the national treasury and is undoubtedly the most popular tourist spot in Poland.

MIASTO NA PRZEMIAN PIASTOWSKIE, KRZYŻACKIE, PRUSKIE I POLSKIE. *Tutaj zaczęła się II wojna światowa, tutaj narodziła „Solidarność". Strategicznie położony Gdańsk zawsze znajdował się w centrum uwagi Polski i Europy.* / CITY OF THE PIASTS, TEUTONIC KNIGHTS, PRUSSIANS AND POLES. *This is where World War II started, the place that gave birth to "Solidarity" movement. The strategic location of Gdańsk has always been at the centre of Poland's and European attention.*

gazeta

SZTUKA, RENESANS I SPICHLERZE. Kazimierz Dolny upodobali sobie artyści współtworzący niezwykłą atmosferę miasta razem z zabytkową architekturą i malowniczym położeniem na wiślanej skarpie. / ART, RENAISSANCE AND GRANARIES. Kazimierz Dolny with its historic architecture and picturesque location on the Vistula bank is favoured by artists who contribute to the unique atmosphere of the town.

LECH
Carlsberg

WIECZNE MIASTO. Wrocław jest miastem wielu kultur i narodów. Przetrwało wojny światowe, przesiedlenia i powodzie. Dumne i nieposkromione. Na rynku prezentuje jeden z najpiękniejszych ratuszy w Polsce. / THE ETERNAL CITY. Wrocław is a multicultural and multinational city. It survived world wars, resettlements and floods. It is proud and strong. Its marketplace contains one of the most beautiful town halls in Poland

THE MOST FAMOUS POLISH WINDOW is located in Cracow at 3 Franciszkańska Street. From this window Pope John Paul II addressed the faithful. Today there are always candles burning in front of the building. On the anniversary of the Pope's death people are drawn here in their thousands.

MIASTECZKO NAD WISŁĄ. *Ponad tysiąc lat historii, przeszło 120 zabytków i niepowtarzalny klimat miasteczka. Sandomierz nie ma sobie równych. Z dumą od wieków spogląda z wysokiej skarpy na leniwy nurt Wisły.* / A TOWN BY THE VISTULA. *More than a thousand years of history, more than 120 monuments and the special atmosphere of the town. Sandomierz is quite unique. For centuries it has proudly looked down onto the lazy waters of the Vistula.*

ZABYTKI

POLSKA JEST NICZYM DOBRZE WYROŚNIĘTE CIASTO, do którego gospodyni (czyli historia) dodała garść najprzedniejszych bakalii (zabytków). Choć wiele wspaniałych budowli w wyniku wojennych zawieruch nie dotrwało do naszych czasów, wciąż z łatwością trafia się w Polsce na prawdziwe perły: stare zamczyska, majestatyczne dwory, pełne przepychu pałace, bądź inne, niespotykane nigdzie w świecie zabytki. Nie przez przypadek aż 13 obiektów z terenu Polski wpisano na Listę Światowego Dziedzictwa Kulturowego i Przyrodniczego UNESCO, a kolejnych kilka czeka na ten zaszczyt.

***

PRZEZ WIEKI POLSKI DOM – chłopski, ziemiański, szlachecki czy nawet królewski – był zawsze centrum posiadłości i jego prawdziwym sercem. A w jego budowę wkładano co najmniej tyle samo uczucia, co majątku. Bez względu na styl, epokę czy zamożność właściciela. Pierwsze „domy" wysoko urodzonych i majętnych obywateli spełniały przede wszystkim funkcje obronne. Zaczęło się od drewnianych grodów, które jednak nie przetrwały próby czasu. Lepiej znamy murowane zamki, które nastały zaraz po nich. Te są dziś symbolem ówczesnej siły, potęgi i władzy. Świadectwem dobrobytu państwa, zaklętym w kamieniu wspomnieniem licznych wojen i burzliwych dziejów kraju leżącego na pograniczu kultur i religii. Niegdyś gniazda rodowe, siedziby władców, twierdze broniące granic państwa. Dzisiaj została im nieco mniej zaszczytna funkcja – atrakcji turystycznych w wielu regionach Polski. Niektóre są wciąż okazałe i niewzruszone wiekami, jak zamki na północy kraju, choć one przypominają raczej o potędze zakonu krzyżackiego, wrogiego państwu polskiemu. Najpotężniejszy z nich, Malbork, zaskakuje równocześnie pięknem i ogromem. Dla innych zamków nastał zaś wiek odnowy. Niektóre z dolnośląskich warowni, jak Książ, zamek Czocha czy Kliczków, na nowo powołane do życia, odzyskują swój dawny blask. Jeszcze inne na zawsze utknęły w stanie ruiny. Ich szkielety z każdym dniem coraz bardziej wtapiają się w przyrodę, tworząc niemal jedność z krajobrazem. Najłatwiej zaobserwować to w krainie „orlich gniazd", między Krakowem a Częstochową. Tam wciąż białe damy przechadzają się nocą po murach białych zamków usytuowanych na wapiennych skałach... Niejedna średniowieczna ruina przywodzi na myśl grupę skał. Niejeden ostaniec przypomina do złudzenia średniowieczną warownię. Bo właśnie w Jurze Krakowsko-Częstochowskiej przeszłość znana z dokumentów czy starych kronik nierozerwalnie splotła się z legendami.

***

IM PÓŹNIEJSZE TWIERDZE, tym częściej ich właściciele spoglądali przychylnym okiem nie tylko na funkcje obronne budowli, ale i na ich estetykę. Czasem koncentrując się głównie na tej ostatniej, toteż królewskie renesansowe zamki zachwycają przepychem i zaskakującymi rozwiązaniami architektonicznymi. Tak zrodziły się Wawel i Baranów Sandomierski oraz liczne rezydencje magnackie, choćby w Wiśniczu, Pieskowej Skale czy Krasiczynie, które często niczym nie ustępowały tym królewskim. Coraz śmielej łączono style, tworząc odważne kompozycje, jak choćby w Lublinie, gdzie renesansowa architektura otacza średniowieczną wieżę obronną i gotycką kaplicę z unikalnymi freskami z końca XIV wieku.

Wiek XVII i XVIII przyniosły zagładę licznym zamkom. Zresztą już w XVII wieku ich miejsce zajęły pałace i dwory, które do dzisiaj prezentują bogactwo dawnych właścicieli bądź też urzekają niezwykłą prostotą i skromnością. Od królewskiego Wilanowa, przez magnacki Łańcut, aż po szlachecki Ożarów. Nowa epoka, nowe gusta i oczekiwania. Pozycja społeczna wymagała przecież odpowiedniej oprawy. Już w drodze do rezydencji, krocząc szeroką aleją, pośród pięknych ogrodów i parków, odkrywało się polskie przywiązanie do ziemi i wiejskiego trybu życia, którego namiastkę starano się stworzyć nawet w rezydencjach miejskich. Magnackie i królewskie majątki zachwycają przepychem

ROZTOCZAŃSKA PERŁA. Barokowy kościół św. Jana Nepomucena to prawdziwy klejnot Roztocza i Zwierzyńca – miasteczka, którego nazwa pochodzi od utworzonego tu w XVI wieku zwierzyńca z żubrami, łosiami, dzikami, wilkami i rysiami oraz tarpanami.

THE JEWEL OF ROZTOCZE. The Baroque St. John Nepomucene Church is a masterpiece in Roztocze and Zwierzyniec – the name comes from a park which was founded here in the 16th century and which contained bison, elks, wild boars, etc.

PRAWDZIWY MAJSTERSZTYK. Drewniany kościół w Dębnie Podhalańskim jest zaliczany do zabytków najwyższej, światowej klasy. Wybudowano go pod koniec XV wieku, nie używając do tego ani jednego gwoździa.

A TRUE MASTERPIECE. The wooden church in Dębno Podhalańskie is recognised among world class monuments. It was built at the end of the 15th century without the use of a single metal nail.

wystroju wnętrz, bogactwem zgromadzonych w nich dzieł sztuki i pięknem architektury. Warszawskie Łazienki, siedziba rodu Branickich w Białymstoku, rezydencja w Pszczynie w niczym nie ustępują słynnym europejskim siedzibom.

***

JEDNAK TO MNIEJ OKAZAŁE SZLACHECKIE DWORKI stały się prawdziwym, nie tylko architektonicznym symbolem polskości. W czasie zaborów dwór polski urósł nawet do rangi symbolu. To tutaj rodziły się idee niepodległościowe narodu i przetrwała tradycja, bo – jak głosi znany napis wyryty na fasadzie szlacheckiego gniazda: „Jam dwór polski, co walczy mężnie i strzeże wiernie". Dwory miały też znacznie więcej uroku, ciepła i rodzinnej atmosfery niż wielkie magnackie rezydencje, o czym do dziś łatwo się przekonać, odwiedzając Złoty Potok, Czarnolas czy nieco skromniejszą Żelazową Wolę.
Drugą ostoją polskości w czasach największych zawieruch był Kościół i jego świątynie. Przez ponad tysiąc lat istnienia katolicyzmu na naszych ziemiach zbudowano tysiące świątyń i klasztorów oraz jeszcze więcej kaplic i krzyży przydrożnych. Wśród tych powstających w różnych stylach i epokach są prawdziwe perełki, jak kościół Mariacki w Krakowie ze słynnym ołtarzem dzieła Wita Stwosza, drewniany kościółek w Dębnie na Podhalu oraz unikalna na skalę światową wykuta w soli Kaplica św. Kingi w podziemiach kopalni w Wieliczce. I choć pod ziemią dalej do nieba, to modlitwa w takim magicznym miejscu staje się jeszcze bardziej uduchowiona, bez trudu przedostając się przez grubą warstwę soli do Adresata. Podobnie jak z misternie rzeźbionych wnętrz drewnianych kościółków lub cerkiewek malowniczo rozrzuconych pośród zalesionych karpackich wzgórz.
A jeśli mowa o unikalnych zabytkach, nie sposób nie wspomnieć o XIX-wiecznym Kanale Ostródzko-Elbląskim, po którym statki pływają wbrew logice – po trawie i pod górę. Kanał jest połączeniem ludzkiego geniuszu z twórczą mocą natury, a efektem tej kombinacji jest szlak wodny złożony z naturalnych jezior oraz łączących je kanałów, nasypów, przekopów, śluz, jazów i upustów oraz przede wszystkim pochylni – zabytkowej maszynerii umożliwiającej pokonanie różnicy wysokości 100 metrów na odcinku 23 kilometrów.
Czy w innej części świata ktoś widział takie cuda?

WIELKOPOLSKA STOLICA. Monumentalna bryła poznańskiej katedry na Ostrowie Tumskim kryje w swoim wnętrzu bogactwo stylów. Obok wszechobecnego gotyku zachwycają renesansowe, a nawet bizantyjskie kaplice. / THE CAPITAL OF GREATER POLAND. *The monumental mass of Poznań Cathedral in Ostrów Tumski hides an abundance of styles in its interior. Along with the Gothic*

SZLAKIEM ARCHITEKTURY DREWNIANEJ. Nie ma w Polsce regionu, w którym nie napotkalibyśmy starej drewnianej chaty, willi czy zabytkowego kościoła.

IN SEARCH OF WOODEN ARCHITECTURE. There is no region in Poland where one cannot find an old wooden cottage, villa or a historic church.

Długo można by jeszcze wymieniać... skanseny – atrakcyjne zwłaszcza w czasie jarmarków i festynów, podczas których wskrzesza się dawne tradycje; obiekty militarne – pozostałość po ostatniej wojnie; wreszcie pomniki i muzea, zabytkowe cmentarze.
W Polsce z każdego kąta przemawia do nas historia. Czasem dumna, czasem tragiczna, ale zawsze frapująca. Głównym mottem Muzeum Archeologicznego w Biskupinie jest zdanie: „Weź zabytek do ręki, zrób jego wierną kopię, poczuj tradycję i historię".
To mogłoby być nasze ogólnonarodowe hasło reklamowe.

MONUMENTS

POLAND IS LIKE A WELL baked cake sprinkled with a handful of very fine nuts and dried fruit (i.e. monuments) which have been added by the cook (i.e. history). Although many splendid buildings did not survive, it is still very easy to come across real architectural gems: ancient castles, majestic manor houses, splendid palaces and many other monuments. It is not without reason that as many as 13 entries on the UNESCO List of Cultural and Natural World Heritage are located in Poland, with several already in line for this honour.

***

A POLISH HOUSE, be it a cottage, a manor house, a palace or even a castle, has always been the centre of the estate and its very soul. At least as much heart as wealth would be put into its creation, regardless of the style, period or the owner's material resources.
The early 'homes' of the high-born, wealthy citizens would have first and foremost performed

NAJCENNIEJSZY ZABYTEK SUWALSZCZYZNY. Klasztor Kamedułów leży na jeziorze Wigry. Warto zadumać się pośród murów eremów, w których mieszkali zakonnicy.

THE MOST PRECIOUS MONUMENT OF SUDOVIA. The Camaldolese Monastery is located close to Wigry Lake. The historic church and the ten hermitages, once inhabited by monks, can provoke a moment of reflection.

SKARBY ZIEMI SANDOMIERSKIEJ. Nad Klimontowem górują dwa monumentalne obiekty sakralne: kościół kolegiacki i klasztor Dominikanów. Z oddali ich wieże prezentują się okazale. / THE TREASURES OF THE SANDOMIERZ DISTRICT. Two monumental sacral buildings tower over Klimontów: a collegiate church and a Dominican monastery. Their towers look magnificent from a distance.

WIELE POLSKICH ZABYTKOWYCH ŚWIĄTYŃ ma wystrój barokowy.
MOST OF THE ANCIENT CHURCHES in Poland have Baroque style interiors.

a defensive function. It started with wooden, fortified towns but these did not stand the test of time and we are more familiar with the stone built castles that succeeded them; today they are symbolic of the power of those days. They are a testimony of the country's history and strength; their walls have witnessed numerous wars and the stormy passage of time in this country situated on the borders of diverse cultures and religions. Once ancestral homes, seats of sovereigns and fortresses guarding the country's borders, today they have become reduced to the less 'noble' function of tourist attractions in various Polish regions. Some remain magnificent and seem untouched by the passing ages like the castles in northern Poland. These serve to remind us of the power of the Teutonic Order, who were the enemies of the Polish state. The grandest among them, Malbork Castle, impresses both with its beauty and its shear size. For other castles the time for restoration has arrived. Some strongholds in Lower Silesia, Książ, Czocha or Kliczków castles have regained their ancient splendour after renovation. Others have been left in a state of ruin and their crumbling walls blend into the landscape more and more with each passing day until they will finally become one with the land. To see this for yourself, visit the land of 'eagle's nests' between Cracow and Częstochowa. This is where 'white ladies' walk on walls of white castles built on limestone heights. Many Medieval ruins resemble rocky masses. Many limestone clusters can easily be mistaken for a Medieval stronghold. The Krakowsko-Częstochowska Upland is a place where history authenticated by ancient documents and chronicles is inextricably entangled with myths and legends.

***

WITH THE PASSING OF TIME the owners of these edifices began to pay more attention not only to the defensive qualities of their buildings but also to their aesthetic significance. Sometimes they focused mainly on aesthetics, hence certain Renaissance royal castles impress with their splendour and innovative architectonic solutions. Wawel Castle and Baranów Sandomierski were born in this manner, along with the aristocratic residences in Wiśnicz, Pieskowa Skała or Krasiczyn. They were often quite a match for the royal residences. The styles were mixed with increasing confidence which resulted in bold compositions such as the one in Lublin, where Renaissance architecture surrounds a Medieval watchtower and a Gothic chapel with exceptional murals from the late 14th century.

The 17th and 18th century brought destruction to many castles. In the 17th century castles had already been replaced by palaces and manor houses, which even nowadays demonstrate impressively the wealth of their one-time owners or enchant with modesty and simplicity, from royal Wilanów to aristocratic Łańcut to Ożarów representing the gentry.
New periods, new tastes, new expectations. It is obvious that a certain social position required appropriate settings. Just walking a wide alley leading to a residence, passing beautiful gardens and parks, one discovers the Polish attachment to the land and country way of life that even urban settlements strived to recreate. Aristocratic and royal estates are splendid with their interior decoration, their abundance of collected works of art and the beauty of their architecture. Warsaw Łazienki Park, the Branicki family home in Białystok, Pszczyna manor house are equal to any European aristocratic residence.

***

THE MUCH LESS IMPRESSIVE manor houses of the gentry became the true, not just architectural representation of Polish identity. During the period of the Partitions of Poland manor houses were a certain emblematic witness of the birth of the principles of independence of the nation. They kept tradition alive. As can be seen from an inscription on the front of a residence: 'I am a Polish manor house - brave fighter and faithful guardian'. Manor houses also had much more charm, warmth and family atmosphere than grand aristocratic residences which can be seen when visiting Złoty Potok, Czarnolas or the quite modest Żelazowa Wola.

Another stronghold of the Polish spirit in the middle of the greatest turmoil that had overtaken the country during this period of its history was the Church. During the thousand year presence of Christianity in our land thousands of churches and monasteries had been

DROGI I BEZDROŻA WIELKOPOLSKI. Podróżni przemierzający Wielkopolskę są pod opieką świętych, którym mieszkańcy postawili kapliczki i posągi.

ROADS AND BYWAYS OF WIELKOPOLSKA. Travellers in Wielkopolska are protected by saints for whom the local people have put up road side shrines and statues.

NAJWIĘKSZA GOTYCKA TWIERDZA W EUROPIE STOI W MALBORKU. *Budowę rozpoczęto w 1274 roku. Była świadkiem chwały i upadku zakonu krzyżackiego. Od 1997 roku jest na Liście UNESCO. Najpiękniejszy widok roztacza się z przeciwległego brzegu rzeki Nogat.* / THE LARGEST GOTHIC FORTRESS IN EUROPE IS IN MALBORK. *Construction began in 1274 and the fortress was to witness the rise and the fall of the Teutonic Order. It has been on the UNESCO list since 1997. The most impressive view of the castle is from the opposite bank of the river Nogat.*

built, along with uncountable roadside shrines and crosses. Among this multitude of churches built in different styles and periods there are numerous masterpieces such as the Church of the Holy Virgin Mary in Cracow with the celebrated Wit Stwosz Altar, the wooden church in Dębno in the Podhale region and a quite unique phenomenon on an international scale: the Chapel of Saint Kinga hewn out of salt, deep within the Wieliczka salt mine. And although from underground it may seem further to heaven, prayers in this place become even more spiritual and find a way to their ultimate goal through the thick layers of salt without too much trouble. Just as they do from the elaborately sculpted interiors of wooden Catholic and Orthodox churches scattered picturesquely in the forested Carpathian hills above the mine. Along side these unique historical places mention should be made of the 19th century Ostródzko-Elbląski Canal where the movement of boats seems to defy the laws of gravity: boats sail upwards on the grass. The canal was created through a combination of human creative ingenuity and the powers of nature; the result of this endeavour is an aquatic route consisting of lakes linked by canals, embankments, cuttings, locks, sluices and most importantly – slipways where machinery constructed in the 19th century enables boats to overcome the 100 metre difference in the level of water over a distance of 23 kilometres.

***

THE LIST IS LONG. Take open-air ethnographic museums – interesting especially during fairs and festivities when ancient traditions are revived; military fortifications from WWII; memorials and museums, historic cemeteries. In Poland, history speaks from every corner of the land, whether it tells tales of success or tragedy it is always fascinating. The dictum of the Biskupin Archaeological Museum is: "Take an artefact in your hand, make a faithful copy of it and feel tradition and history." These words could be used to sum up the temperament of our country.

ZAMEK W PIESKOWEJ SKALE to jedyne „orle gniazdo", które nie popadło w ruinę. Obok stoi niezwykła 20-metrowa Maczuga Herkulesa. Oto jeden z najpiękniejszych widoków w dolinie Prądnika w Ojcowskim Parku Narodowym.

THE CASTLE OF PIESKOWA SKAŁA is the only 'eagle's nest' which has not fallen into ruin. Next to it stands a 20 meter high rock called the Club of Hercules.

GDZIE NIE SPOJRZYSZ, KOŚCIÓŁEK. *W każdej, nawet najmniejszej, mieścinie czy wiosce stoi kościół, ostoja Polaków. Choćby we wsi było kilka chałup na krzyż, choćby ludzie byli najbiedniejsi – na przybytek boży zawsze się znajdzie.* / A CHURCH HERE, A CHURCH THERE. *A church, the anchor of the Polish nation, stands in every Polish town or village, even the smallest. It doesn't matter how poor the local people are or how low the population is – there's always money for the house of God.*

PAŁACYK ZWANY ZAMECZKIEM. W 1811 *roku wieś Opinogóra stała się własnością rodziny Krasińskich, która zbudowała romantyczny pałacyk zwany zameczkiem. Niewielka parterowa budowla z wysoką wieżą do dzisiaj zachwyca wszystkich odwiedzających.*
A LITTLE PALACE CALLED A LITTLE CASTLE. *In 1811 the village of Opinogóra became the property of the Krasiński family. Here they built a Romantic palace called a 'little castle'. This small, single storied building, never ceases to impress visitors.*

MAŁOPOLSKI SZLAK ARCHITEKTURY DREWNIANEJ jest wpisany na Światową Listę Dziedzictwa UNESCO.

THE WOODEN ARCHITECTURE TRAIL in Małopolska is on the UNESCO World Heritage List.

KOLEBKA PAŃSTWA POLSKIEGO. W Poznaniu znajdował się jeden z pierwszych grodów stołecznych państwa Piastów. W wybudowanej w 1405 roku Złotej Kaplicy mieści się grobowiec pierwszych władców: Mieszka I i Bolesława Chrobrego. / THE CRADLE OF THE POLISH STATE. One of the first capital towns of the Piast lands was Poznań. The Golden Chapel built in 1405 contains the tombs of the first rulers of Poland: Mieszko I and Bolesław the Brave.

NIEDZICA NA SPISZU. *To najpiękniej położony zamek południowej Polski, a Jezioro Czorsztyńskie powstałe na skutek budowy tamy tylko dodaje mu uroku.* / NIEDZICA IN SPISZ REGION. *The most beautifully situated castle in the south of Poland; Czorsztyn Lake, created as a result of the construction of a dam, only adds to its charm.*

SPIS TREŚCI

CONTENTS

Autorzy zdjęć (numery stron) / Photographs by (pages):
***Krzysztof Hejke** (okładka-małe / cover-small, 10, 19, 60-61, 64-65, 71, 82-83, 95, 108-109, 110-111, 120-121, 164-165, 172, 176-177, 178, 181, 182-183, 184, 185, 192-193, 198, 199, 202-203, 204, 210-211, 216-217, 264-265, 276-277, 282, 288, 292-293, 294-295); **Piotr Skórnicki** (2, 6, 25, 46-47, 50-51, 52-53, 98, 100, 112-113, 116-117, 122-123, 190-191, 194-195, 208-209, 214-215, 227, 249, 253, 260-261, 266-267, 285, 296-297, 298-299); **Dariusz Zaród/photoagency.com.pl** (okładka-małe / cover-small, 5, 14, 16-17, 36-37, 40-41, 45, 79, 141, 160-161, 166-167, 171, 186-187, 200-201, 205, 224-225, 245, 246, 274-275); **Tomasz i Grzegorz Kłosowscy** (20-21, 92, 101, 102, 106-107, 114, 125, 133, 136-137, 138, 142, 145, 146-147, 148-149, 156-157, 158, 290-291); **Wiesław Lipiec** (okładka / cover, 26-27, 28, 66-67, 68-69, 96-97, 134, 150-151, 152-153, 162-163, 271); **Ireneusz Dziugieł** (33, 54-55, 58-59, 62-63, 74-75, 78, 80-81, 256-257, 272, 279) oraz / and **Agnieszka i Włodzimierz Bilińscy** (42-43, 48-49, 72-73, 88, 130, 159); **Jacenty Dędek** (86-87, 238-239); **Paweł Fabijański** (105, 124, 280-281); **Piotr Januszewski** (22, 38-39, 44, 188, 212-213, 262-263, 286-287); **Wiesław Kaluszka** (30, 34, 76-77, 84-85); **Beata i Mariusz Kowalewscy** (218, 221, 222, 228, 230-231, 232, 236, 240-241); **Dariusz Krakowiak** (okładka-małe / cover-small, 242, 250-251, 254, 258-259); **Łukasz Łukasik** (91, 115, 118-119, 126-127, 128-129, 154-155), **Artur Pawłowski** (168, 189, 196-197, 206-207, 234-235), **Katarzyna Sołtyk** (70, 175, 268), **Jarosław Sosiński** (56-57)*